〈公正《フェアネス》〉を乗りこなす

正義の反対は別の正義か

朱《ちゅ》喜哲《ひちょる》

太郎次郎社エディタス

はじめに

自宅で、学校や職場で、あるいは行きつけのお店やはじめて訪れるお店で、わたしたちはいろいろなことを話します。家族と、同僚と、恋人と、友だちと、あるいはなじみの店主や初対面の同席者と、その相手もさまざまです。一回ずつの会話ごとに、話し相手や周囲の雰囲気、そこで飛び交うことばづかいを観察しながら、わたしたちは自分がどんなことばを使うのかを判断し、ことばを使いわけています。

日本語では、いわゆる敬語を使うか使わないかという大きな選択がありますが、それをはじめとして、同じようなことを伝えたいとしても、複数ある選択肢から「どんなことばを使うか」をその場や相手にあわせて考えているはずです。家庭でのあなたと職場でのあなた、そしてまた行きつけのお店でのあなたとでは、それぞれまったく異なることばの選び方をしていて、それゆえに「違うひと」とさえいえるかもしれません。

ことばとは、なにか伝えたいことがあって、それを実現するための一種の「道具」だと考えることができます。しかし同時に、特定のことばづかいを続けていると、じょじょに考え方の癖や感情の起伏すら、そのことばづかいに影響されていきます。「わたし」という確固とした人格があって、道具としてのことばを自由自在に操るのではなく、むしろ選んだことばが「わたし」という人格をかたちづくるのです。

　このように考えると、「ことばづかい」は決定的に重要です。どんなことばを使うかが「わたし」を形成し、どんなことばが使われているのかが「社会」のあり方を決めていきます。こうしたことを、本書でたびたび登場することになる哲学者リチャード・ローティ（一九三一－二〇〇七）は「人間や社会とは、受肉したボキャブラリー（具体的な姿かたちをとった、ことばづかい）である」と述べています。わたしは一八歳のころにこのテーゼと出会って以来、ときに反発したり、ときに惹かれたりしながら、ことばを主題とする哲学であるところの「言語哲学」という分野の学問研究を続けています。研究を続ければ続けるほど、「ことば」とは不思議なものだと思わされます。

　さて、わたしたちは、どんなことばづかいでも望むがままに使いこなし、そうありたい自分になることができるでしょうか。どうもそんなふうにはうまくいかなさそうです。それほど気にいっているつもりはないのに、つい手を伸ばして使ってしまうことばもあれば、できれば使いこなしたいことばなのに、どうもしっくりこなくてうまくしゃべれなくなることばもあります。

　この本であつかうのは、この「どうもうまく使いこなすことが難しい」と思っているひとが多そうな、ある一群のことばたちです。それは、「正義」とか「公正」といった、いわゆる「正しいことば」です。正しいことばなのだから、それは使いこなせて損はないはずなのです。しかし、どういうわけか、日本語でこうしたことばを使おうとすると、どうにもうわすべってしまったり、攻撃的になってしまったり、あるいは恥ずかしいことのように思えたりするようです。

それが「どういうわけ」なのか。そして、どうすれば「使いこなす」ためのヒントを得ることができるのか。本書を通じていっしょに考えてもらえればと願っています。

この本は、大きく三つのパートからなっています。

第Ⅰ部では、「正しいことば」の具体的な使用シーンをみていきます。そのさい、まずはこうしたことばが活発にもちいられているアメリカ合衆国での使用例を紹介しつつ、日本語での状況と対比させながら検討を進めます。アメリカの政治家たちやあるいは日本の学校教育において、「正しいことば」がどのように運用されているのか、具体例から確認していきましょう。

第Ⅱ部では、やや理論的な掘り下げをおこないます。複数の「正しいことば」たちは、相互にどのようにかかわりあっているのでしょうか。それを確認するためには、こうしたことばを編みだしてきた人類の歴史を念頭に、そのなかで試行錯誤してきた哲学者や政治思想家たちの用法やそのポイントを押さえることが欠かせないでしょう。多くの哲学者たちの考察を通じて、そのテクニックとモチベーションをみていくことにします。

第Ⅲ部では、それまでの議論をふまえて、ではわたしたちの社会においてどうすれば「正しいこます。

とば」を使いこなし、そして「公正（フェアネス）」のような価値を実現することができるのかを考えます。わたしたちが生きるこの社会での日常を思い描きながら、読み進めていただければと思います。

序章をふくめた全一三章と部ごとのあいだに入っている二本のコラムは、基本的には独立していますので、まずは気になった見出しやキーワードから読みはじめてもらうこともできると思います。

本書は、かならずしも正しいことばを「乗りこなす」ためのマニュアルではありません。ではないかというと、正しいことばを運用するプロフェッショナルたちの巧みな乗りこなしやさりげない安全運転、そして、それとは逆に「事故」に直結してしまう危険運転、その両者についての解説付ケースブックのようなものになっています。多くの事例とその検討におつきあいいただくことを通じて、「正しいことば」につきまとう息苦しさ、苦手意識から解き放たれ、ちょっとくらいは気軽に乗ってみようと思われたならば、それ以上の喜びはありません。

〈公正《フェアネス》〉を乗りこなす　目次

II 「正しいことば」のよりどころ …… 103

10章

11章

12章

序章　正しいことばの使い方

「正しいことば」はややこしい？

わたしたちの身のまわりには、「正しさ」について表現したことばがたくさんあります。ごく日常的に使う「よい（わるい）」ということばから、いくぶんかしこまって使われる「正義」のような熟語まで、いろいろな表現が、それぞれの文脈でもちいられます。

とくに後者の熟語は、たいていの場合はいわゆる外来語、もともと欧米でもちいられていた概念が輸入されて漢字があてがわれた経緯をもつものが多いです。外来語だからという理由ばかりでもないでしょうが、こうしたことばの「意味」について説明するのは、日本語にずっと親しんでいるひとにとっても容易ではないと思います。

たとえば「『正義』ってどんな意味？」と、このことばをはじめて聞いたひと（たとえばこども）に訊《たず》ねられたとき、いったいどれくらいのひとがうまく説明できるでしょうか。

おそらく、このような概念に、専門的・職業的に親しんでいる学者や法曹関係者であっても、「そもそも『ジャスティス（Justice）』という英語なんだけど、それはつまり……」などと話をややこしくしてしまいそうです。

「正義」のほかにも、メディア報道に関してもちいられる「不偏不党」とか、最近はプライバシーポリシーのような文章でも登場する「公正公平（な取り扱い）」とか、こうしたそれぞれに関連する「正しさ」にまつわることばについて、「ほんとうの意味」をうまく説明できるひとは、じつはほとんどいないかもしれません。

こういった実感も背景として、わたしたちは少なからず「やっぱりこんな説明の難しい、ややこしいことばを使うのはやめておこう」と思ったり、あるいはこの口ごもってしまう感覚のゆえに、「こういうことばは、ひとを黙らせるためにインテリや運動家が使うもので、〈正しさ〉が振りかざされる社会は息苦しい」というような反感を募らせるということが、じっさいにありそうです。

ほんとうの意味を理解できなくても、正しく使うことはできる

さて、この本では、こうした一連の正しいことば、とりわけ「公正／フェアネス（Fairness）」とはなんだろう、ということを主題にします。といっても、このことばをあつかおう、と決めたわたし自身にしても事情は似たようなもので、わたしがこれらのことばがほんとうはどんな意味なのかを

知っており、それを説明しようとするものではありません。

わたしが研究者としての専門性を保持しているのは、広く「ことばの意味」に関する哲学である言語哲学という分野です。この分野にもさまざまな立場があり、「ことばの意味とはなにか？」「あることばを知っているとはどういうことか？」といった問いに対して現在進行形で議論をしています。

わたし自身は、前者の問いに対しては「そのことばが、ほかのことばとのあいだにもつ関係である」と答え、後者の問いには「そのことばを適切に使用することができることである」と答える立場をとっています。（哲学用語としては、前者を「推論主義」、後者を「意味の使用説」と呼んだりします。）

この本では、わたしの言語哲学上の立場がほかの立場とどう対立しているか、またそこではどのような議論が展開されているのか、といったテクニカルなことには（できるだけ）ふれないつもりです。ここで強調しておきたいのは、もしこうした言語哲学の立場を採用したならば、「正義」や「公正」といった使いづらい（と思われるかもしれない）ことばについて、つぎのように考えることができるということです。すなわち、こうした「ややこしい」ことばの「ほんとうの意味」を理解せずとも、それがじっさいにはどのように使われてきたのかをみることによって、いわば見よう見まねで、それらの「正しい使い方」を体得するヒントがつかめるのです。

それはたとえば自転車の乗り方について、それを説明した文を理解できること（知識：know-that）とじっさいに自転車に乗れること（実践知：know-how）とは違っており、前者を獲得することは後者を習得するためにとくに必要ではない、ということと類比的に考えられます。

つまり、「ほんとうの意味」についての知識を求めなくても、とりあえずそろりそろりと難しいことばを正しく使いはじめてみることはできるのです。

ことばを乗りこなすために

「公正」や「正義」の使われ方をみていくためには、じっさいに使用されることが多く、日本語がそれにならってきたところの欧米、とくに英語圏の用法を参照することが有効そうです。日本語において、これらのことばが「使いづらい」（息苦しい、居心地がわるい）ものになっているのだとしたら、なおさらのこと、こうした「正しさ」にまつわることばがよりカジュアルに行き交っているところで、どんなふうにこれらのことばを交えた会話が営まれているのかを知り、あるいはその危うい場面（「失敗」してそうなケース）をみることは有益でしょう。

先の自転車の比喩に戻れば、どれだけ説明書を読んでも自転車に乗れるようにはなりません。むしろ、じっさいに乗ってみて、ときには転んでみたり、事故につながる数々の「ヒヤリハット」を経験することで、乗りこなせるようになっていくものでしょう。

この意味において、「公正」や「正義」を敬して遠ざけたり、（日本語ならではの比喩ですが）「神棚にしまっておく」ことにして日常では使わないのだとすれば、これらのことばを「知っている」とはいえないわけです。そしてまた、見本とまったく同じ使い方しか知らず、とっさのときアドリブで対応することができないのだとしたら、それもやはり「使いこなしている」とはいえないでしょう。

ことばについてもう少し具体的に考えてみると、「定型句・常套句」の問題を指摘できます。インターネット以降のことばづかいではよく「テンプレ」とか「コピペ」といったりするものがそうです。たとえば「正義の暴走」とか、「正義の反対は悪ではなく、別の正義」とか「ポリコレ棒」といった――あえて言いますが陳腐で使い古された――よくある表現を、みんなが使っているからと安易に使うことについて考えてみましょう。これはいわば「事故」の可能性をみじんも想定せず、責任がともなう自分の判断をしていないわけですから、そうしたことばをうまく使えているとはいえないでしょう。（ふたたび交通でたとえるなら、信号が青だから進むのではなく、周囲が進んでいるからいっしょに進んでいるのだとすれば、それは「交通ルールを知っている」とはいえないはずです。）

そういうわけでこの本では、わたしたちの日本語においては日常的なレベルで「乗りこなす」ことが難しそうな「公正／フェアネス」「正義／ジャスティス」などのことばについて、自分自身でハンドルを握って公道に出てもよさそうだというところのいわば「仮免許」の取得をめざしたいと思います。もちろん、ここで提供できることは一種の座学――教材となるテキストやVTRをみせたり、それを解説すること――に留まりますから、実地での演習はおのおのでやってみてください。

ルールはあってもルールブックはない

では、まず模範になるだろうプロフェッショナルによる用法をみつつ、その使いこなし方についていくらか解説を加えていきます。ただし当然ですが、プロのような超絶ドライビングテクニックを身につけることが目的ではありませんし、それははなはだ困難です。安全運転をめざすうえで学びが多いのはむしろ「事故」について知ることでしょう。でも、ことばの使用における「事故」とはなんでしょうか。具体的な話に入っていくまえに、まずこの点を確認しておきましょう。

ここまで、随所に交通・運転の比喩を使いながら、「ことばの意味は、その使用である」という言語哲学の立場を紹介してきました。たしかにことばと交通には、いくらか共通点はあります。最たるものは、どちらもなんらかのルールによって「正しい」とか「まちがっている」と評されることがある、一種のゲームだということでしょう。（ここでの「ゲーム」は「お遊び」というような揶揄の意味ではなく、特定のルールに統《す》べられており、それを守っていなければそのゲームをプレイしているとはみなされないようなタイプの営みだ、ということです。）

とはいえ比喩は比喩であり、限界もあれば違いもあります。

最たる違いは、交通にはルールが明示的に存在します（「道路交通法」という立派なものがあります）が、ことばをもちいるゲーム、すなわちコミュニケーションにおいて、そうした「ルール」は少なくともルールブックのような具体的なかたちで提示されるものではありません。もちろん、辞書や文法書はあり、その都度に「そのことばの使い方は違うよ」と指摘することはできます。しかし、どれだけ分厚い辞書でも、あらゆる用法・用例が網羅されることはありえないでしょう。

さらに、わたしたちはことばを新しく創りだすことができ、元来はなかった用法が、あるときから定着したりすることがあります。ルールを破ることが、かならずしもたんに「違反」なのではなく、ときに新しいルールを制定することでもあるわけです。

交通のケースとなにより異なっているのは、コミュニケーションにおいてわたしたちはルールを学び、それに従うばかりでなく、ルールを創造するものでもあるという点なのです。

「会話を止めるな」

ことばをもちいた実践（ここからは「会話」としましょう）において、こうした「創造的なルール逸脱（新しい用法の誕生）」と「取り締まられるべきルール違反」はどう区別されうるのでしょうか。

それにはやはり、先述した「事故」の会話バージョンがなんであるのかを考えなければなりません。それは、発生するともはや会話というゲームが中断され、少なくともその場では存続できなくなるようなアクシデントでしょう。言いまちがいとか新奇な比喩とかいう程度の「ルール逸脱」では、問題なく会話を営みつづけることができます。

会話が途絶えてしまうのは、たとえば暴力的な言動によって黙らせられたり、一方的に「論破」を通達されて会話が打ち切られたりするときです。日本語でも「会話が成り立たない」という言い方をしますが、わたしたちはこう評したくなる状況を体験したことがあるでしょう。それはたとえば、ソーシャルメディア上でのやりとりばかりでなく、わたしたちの国の「国権の最高機関」である国会での政治家たちのやりとりでさえ、しばしばみられるものです。それはまた海を越えても同じようで、アメリカ合衆国における大統領選挙でのテレビ討論会などでもみることができました。

「会話の根本的ルールは、それを打ち切らないことである」――そういう趣旨のことを主張した哲学者がいます。その人物こそ、本書でたびたび登場することになる主役のひとりであるリチャード・ローティです。

この主張を学術的に擁護するためには、それこそプロの腕前が必要になりますが、さしあたりここでは先述の「事故」の比喩から説明できそうです。つまり、会話を打ち切り、それ以降はもうことばを交わすことができないようなこと――「二の句が継げなくなる」という日本語が当てはまるようなとき――を起こすことが「事故」なのです。

もちろん、わたしたちは個別の会話をいつからでも始め、また切り上げることができます。そして、ほとんどの場合は「いつでも再開できる」はずですが、ときどき「もうあいつと話すことなどない」と思うことは、だれしも経験があるでしょう。あるいは「それを言われたら、もうおしまいだ」というような体験をしたことがあると思います。（ネットスラングでいう「はい論破」というのは、その典型かもしれません。）

この本では、こうした事態を会話における「事故」、すなわち根本的なルール違反であるとみなす立場を（ひとまず）採用したいと思います。ここから「公正」や「正義」といった、日本語においてとりわけ「事故りやすい」であろうことばを、うまく乗りこなすためのヒントを考えていきます。「正しいことば」を乗りこなすプロフェッショナルとして、これから本書を通じてくり返しそのドライビングテクニックを披露してもらうのは、ジョン・ロールズ（一九二一-二〇〇二）です。

ロールズは二〇世紀を代表する政治哲学者のひとり。なによりも「正義」や「公正」といったことばを現代によみがえらせた人物として知られています。そう、「よみがえらせた」のです。じつは英語圏においてもこれらのことばが、つねにその命脈を保っていて活発に使われていたわけではありません。ロールズが駆使したテクニックが、こうした正しいことばたちを会話において「使える」さらには「使いたい」ものにしてくれたのです。

そういうわけで、この本ではロールズのことばづかいを軸としながら、わたしたちが日本語においても「正しいことば」をうまく乗りこなしていくためのヒントと課題を考えていきます。では、さっそくそのテクニックをみていきましょう。

I 「正義」というテクニック

1章　「正義」の模範運転とジョン・ロールズ

アメリカ大統領選挙をとりまくことば

二〇二〇年一一月、わたしたちは公の立場にあるひとが、どのように「公正」や「正義」といったことばを使っていたのか、ひさしぶりに思い出しました。アメリカ大統領選挙後におこなわれた、いわゆる勝利演説でのことです。

四年に一度実施されるアメリカ大統領選挙は、いつだって世界中から注目される一大イベントですが、この年はまた格別でした。二〇一六年から四年間続いたドナルド・トランプ大統領の共和党政権がさらにあと四年続くのか、それとも終わるのか。アメリカと無関係ではいられない国内外のひとびとが固唾をのんで見守っていたようすは、ソーシャルメディア上でも可視化されていました。

日本でも、開票速報を食い入るように見つめて一喜一憂したひとは多かったようです。トランプ支持を表明し、彼自身が確たる証拠もなしに唱えている（とアメリカの法廷および主要メディアがみなしている）選挙不正にまつわる陰謀論とフェイクニュースを拡散する日本語ツイートも少なからずみられました。他方、バイデン支持の日本語ツイートのなかには、とりわけアメリカ在住の（したがって民族的マイノリティとして暮らす）日本語話者たちの切実な声が目立ったことが印象的でした。

二〇一六年、トランプが大統領選挙に勝利して以来、なんらかのマイノリティとしてアメリカで暮らすことがどれほど不安と恐怖をともなうものであったのか。多くの当事者が日本語でことばにしてくれたことで、わたしたちにも一定のリアリティをいだくことができたのではないでしょうか。ついにバイデン勝利が確実なものとなったとき、アメリカ在住者たちが漏らしたのが喝采ばかりでなく安堵であったことは、多くのことを示唆しています。

そしてまた前者の、本来直接の当事者ではありえないはずのトランプ支持を標榜するアカウントが、「トランプ再選に日本人の命運がかかっている」といった当事者的なことばづかいをしていたことも示唆的です。こうしたことばづかいは、序章において示唆した会話における「事故」、すなわちコミュニケーションを打ち切る効果をもつこともありうる強力なものです。これについてはまたあらためて3章で論じたいと思います。

「正しいことば」の帰還?

二〇二〇年のアメリカ大統領選挙において、とりわけマイノリティの声を体現し期待を背負ったのは、民主党の副大統領候補カマラ・ハリスでした。ハリスは、前回二〇一六年の大統領選挙でヒラリー・クリントン候補が阻まれた「ガラスの天井」をやぶり、アメリカの大統領選挙で選出された初の女性候補であると同時に、アジアおよびアフリカにルーツをもつ民族的マイノリティでもあります。彼女は、勝利演説において支持者と国民につぎのように語りかけています。

この間の日々が困難なものだったことを知っています。〔…〕嘆き、悲しみ、苦痛。尽きぬ心配と葛藤。しかしまた、わたしたちはみなさんの勇気を、打ちのめされても立ちあがる力を、そしてもち合わせている寛容さをも目のあたりにしてきたのです。この四年間、みなさんは、平等と正義のために、わたしたちの生命のために、そしてわたしたちの地球のために、前を向いて行進し、力を合わせてきました。※1

ここで念頭に置かれているのは、BLM(ブラック・ライヴズ・マター)運動の広がりや気候危機に対する運動といった個々の社会問題です。そして、それら個別論点を束ねるような理念、つまり「正しいことば」として「平等（equality）」と「正義（justice）」が登場しているという点が注目に値します。ハリスはつぎのように続けます。

みなさんが選んだのは、希望（hope）、団結（unity）、良識（decency）、科学（science）、そして真実（truth）です。

ここで列挙される単語は、とても慎重に選ばれているはずです。これらは左右の政治的対立を超えて、いわば「反トランプ」として結集しうるような価値を表現しています。とくに「アメリカに良識をとり戻そう（Make America Decent Again）」という――二〇一六年からのトランプの代名詞的スローガン「アメリカをふたたび偉大にしよう（Make America Great Again）」をもじった――スローガンは、二〇二〇年の選挙において、長らく共和党の地盤である複数の州でのバイデン勝利を象徴するフレーズでした。

※1　二〇二〇年一一月七日の勝利演説の動画（https://www.youtube.com/watch?v=vaThx7z6eJM）と書き起こしから訳出しました。強調の傍点はわたしが付与したものです。以下すべて同様です。

こうした価値を重んじる保守層が、支持政党を超えてバイデンに票を投じたわけです。

ハリスの「正しいことば」

序章で予告したように、この本では「正しいことば」について、そのじっさいの使い方をみていきます。それをいわばお手本として、わたしたちなりにそれらを使いこなすコツをつかもう、というのが趣旨です。

日本語に「死語」という表現があるように、ことばは使われなくなると、いわば死を迎えます。ことばに生命を吹き込み、活力をもたらすのは、その「使用」にほかなりません。

というわけで、ここからもう少しバイデンとハリス、両者の「正しいことば」の使い方をみていきましょう。先のハリスの演説を続けます。

ハリスは自身が移民二世であるという民族的ルーツにふれながら、移民一世である母の名前を挙げます。一九歳でインドからやってきた時点の彼女には、この瞬間はとても想像することはなかっただろうと。しかし、「彼女はアメリカが、この瞬間を迎えるような可能性をもった国であることを深く信じていたのです」と継ぎます。

だから、わたしは彼女と、そして何世代にもわたる女性たちのことを、いま思い起こします。わたしたちの国の歴史を通じてずっと、黒人女性たち、アジア系、白人、ラテン系、ネイティブアメリカンの女性たちは、いまこの瞬間のために道を切り拓いてきました。女性たちは、すべてのひとにとっての平等、自由、そして正義のために戦い、多くの犠牲を出しました。とりわけ黒人女性はあまりにしばしば見過ごされてきましたが、しかし、彼女たちこそわたしたちの民主主義の屋台骨であるということを、何度も証明してきたのです。

ハリスはアメリカにおける女性、そして非白人の参政権獲得の歴史に言及しつつ、見出しとしてもっとも報じられることになった以下の印象的なフレーズで結びます。

わたしは大統領オフィスに入るはじめての女性かもしれません。しかし、けっして最後の女性にはなりません。なぜなら、ここが可能性の国であるということを、今夜すべての少女たちが目撃しているからです。

初の女性副大統領誕生が決定したという記念すべき瞬間に、彼女がつむいだ「正しいことば」は、今後も長らく語り継がれるでしょう。ここでハリスが、「まだ実現してはいなくても、そうあるべき可能性」として「正義」などの理念を示すことばをもちいていることに注意しておいてください。この使い方こそが、あとからふりかえるようにアメリカにおいてきわめて正しい用法にほかなりません。

バイデンが指し示した「理念」

ハリスの演説を受けて、バイデンは話しはじめます。アフリカとインドにルーツをもつ移民二世の、そして女性が副大統領となる「可能性」が実現したことについて、以下のように述べるのです。

いまふたたびアメリカは、道徳的な世界の軌跡が向かう先を、正義へと据えたのです。

このフレーズは、人種差別撤廃をめざす公民権運動の指導者であったマーティン・ルーサー・キング・ジュニアの演説に由来します。

キング牧師の演説で、おそらくもっとも有名な「わたしには夢がある」演説がおこなわれたワシントン大行進の翌年、一九六四年に公民権法が成立します。先の演説でハリスがふりかえったように、アフリカ系アメリカ人にはじめて選挙権が認められたのでした。しかし、その後もとりわけ南部の州では、あからさまな差別と脅迫による有権者登録の妨害が横行していました。（非白人への有権者登録や投票への妨害は、かたちを変えて現在も問題になっています。）

一九六五年、これに抗議する数百人規模のデモがアラバマ州セルマでおこなわれましたが、警察の暴力的弾圧を受けて多数の重傷者を出します。しかし、その弾圧の風景がメディアで報じられることで運動は一挙に広がり、数万人規模のデモ行進へと発展します。この行進のなかで、キング牧師はつぎのような演説をします。※2

いつになれば〈人種差別は克服されるのだろうか〉？　遠くはないはずだ。なぜなら道徳的な世界の軌跡ははてしないものだが、しかしそれは正義へと向かっているのだから。（How long? Not long, because the arc of the moral universe is long, but it bends toward justice.）

このフレーズは、オバマ大統領も好んで引用していたものです。アメリカにおいて「正義」のようなことばが、どれだけ血のかよった、そしてじっさいに流血をともなってきた理念であるのか、その一端を知ることができる政治のことばづかいの系譜だと思います。

※2　一九六五年のセルマでの一連の出来事は、二〇一四年公開の映画『グローリー／明日への行進』（原題は*Selma*）でも描かれました。

「正義」の凋落とジョン・ロールズの登場

キング牧師が「正義」を見はてぬ、しかしたしかに向かうべき理念として説いた一九六五年は、もしかするとアメリカにおいて、このことばがもっとも強い力を帯びていた最後の年かもしれません。同年、アメリカは本格的にベトナム戦争に突入していきます。また六八年にキング牧師は暗殺され、反差別運動は非暴力を掲げる指導者を失います。

ベトナムでのアメリカ軍による虐殺事件はメディアでも報じられ、もはや国家として「正義」を掲げることなどできないという機運の高まりとともに、国内外で反戦運動が激化します。また、暴力的抵抗も辞さない反差別運動は広範な支持を失ってしまい、かつて掲げられた理念の求心力も損なわれていきます。

一九六〇年代末から七〇年代にかけてのアメリカでは、かつて「正義」のような理念が放っていた魅力が急速に色あせていくのです。そのようなことばを使うことは、たんに思考停止に陥ったり、自分たちの側の一方的な正当化にしかならないのではないか。そう考えられはじめます。

そうなると、ことばを乗りこなすうえでの「事故」――会話がそこで止まってしまい、それ以上なにも言えなくなってしまう――が発生してしまうわけです。日本語でもしばしば見聞きする「それぞれに正義がある」とか、先に挙げた「正義の反対は悪ではなく、別の正義だ」というような常套句を考えてもらえばよいと思います。

哲学用語では「相対主義」といいますが、こうした「どっちもどっち」「正しさはおのおのだから、けっしてわかりあえない」という冷笑的な態度が、「正義」のようなことばに向けられるようになったわけです。この相対主義的な感覚は、おそらく現代の日本語においてはいまだに根強いのではないかと感じます。

しかし、少なくとも現代アメリカの政治のことばでは、かならずしもそんなことはありません。キングの時代からバイデン＝ハリスまでのあいだに、一度は活力を失ったこの理念に、ふたたび息を吹き込んだ哲学者がいたからです。

その人物こそ、ジョン・ロールズです。

ロールズによる「正義」と「善」の区別

ロールズは、とりわけ政治哲学の分野において、まちがいなく二〇世紀でもっとも重要な哲学者のひとりです。一九七一年に刊行された彼の主著のタイトルは、ずばり『正義論』（A Theory of Justice）というものでした。当時すでに活力が失われつつあった「正義」について、理論を与えることによってよみがえらせようとしたのです。

ロールズは、こうした正しいことばをふたたび使えるようにすべく、みずから適切な使い方を示すためのデモンストレーションをしてみせました。ここからは、いわばその「ドライビングテクニック」を垣間みていきたいと思います。

ロールズにとって、「正義」のようなあつかいの難しいことばをうまく乗りこなすための第一の秘訣は、ことばをしっかり区別することです。彼が導入するのは「正義（justice）」と「善／よいこと（the good）」の区別であり、正義の「概念（concept）」と「構想（conception）」の区別です。時期によって、ロールズ自身のことばづかいがやや変わることもあるため、ここではこれらの区別をあえて重ねながら、ポイントを押さえます。

まず、日常的なことばづかいとして、いわゆる「よい」ことについての考え方、すなわち「善の構想（conceptions of the good）」があります。「善」というと少し大仰ですが、なにを「よい」と思ってなにを「わるい」と思うかについての個々人の考え方や価値観のことです。これはもちろん、人それぞれに違いもあるでしょうし、文化や歴史が違えばなおさらでしょう。つまり、善構想どうしがたがいに衝突し、ときに力による抗争を招くことがありえます。

しかし、「正義」とはそういったたんなる「善」の構想とは違う、とロールズはいうのです。「正義」とは、競合しうる善構想どうしを調停し、合意に至った状態において実現するものであり、そのための一連の手続きである――これが、ロールズの提唱する「正義」概念です。

この提案が受け入れられるためには、じつのところどうすれば「正義」を「善」と区別できるのか、両者はどのような関係にあるのかを説得的に示さなければいけません。ロールズが引き受けるのはつぎの課題です。

すなわち、それぞれに対立しうる「善／よいこと」の構想から、どのように万人が合意しうる「正義」をつくることができるのか。この道筋を、きわめてテクニカルに描きだしたのが、『正義論』という分厚い書物でした。

「公正としての正義」

こうした「正義」の内実はなんでしょうか。言い換えれば、このことばは具体的にどんなふうに使えばよいのでしょうか。ロールズ自身の回答は「正義とは、公正さである」というものです。「公正としての正義」(Justice as Fairness) というのが、ロールズが掲げるスローガンであり、彼自身が提案する「正義の構想」です。

では、「公正」とはなにか。この本丸というべきトピックはこれから本書を通じてじっくり論じていきたいと思いますが、さしあたりここでは関連する文脈を押さえるために以下のことを述べておきましょう。

ロールズ自身は、彼のことばでいう「秩序ある社会」にはいくつもバリエーションがあり、「公正」以外の価値を「正義」として合意するような社会もありうる、と述べています。特定の秩序ある社会にはなんらかの「正義」の構想がありますが、かならずしも「公正」だけが唯一の候補ではないというのです。

ここまで話を進めると、やっぱり「ある正義と別の正義とのあいだには調停できない対立が……」と例の常套句をもちだしたくなってくるかもしれません。しかし、少なくともロールズが「善の構想」と「正義」を区別したことの意義は失われていないことに注意してください。

ロールズのテクニックにならうならば、安易に「正義なんて……」というひとには、「そりゃ、それぞれになにがいいと思うかで対立することは当然あるけど、『正義』ってことばはそれとは別にとっておこうよ」と返せばよいわけです。

わたしたちが社会という単位で、どのような構想を「正義」として選び、また合意を形成するのか。そのプロセスじたいが、まさしく政治なのです。

「正しいことば」に息を吹きこむ

ロールズ以降、少なくとも哲学や政治学の分野で、彼の成し遂げたことばづかいの工夫、そのテクニックを念頭に置かないことはありえません。同じく、少なくともアメリカにおいて、先人の知恵に学んでいる政治家がもちいる「正義」や「公正」というボキャブラリーは、このロールズ的な用法が念頭に置かれているはずです。

したがって、ここで紹介したハリスやバイデンの演説での用法もまた、ロールズ以降の「正義」概念といってよいでしょう。わたしたちが対立する利害や立場を超えて、どのような構想であれば合意できる「正義」たりうるのか。その構想を打ち出すのが政治家の仕事であり、最初から合意を放棄し、分断を煽《あお》ることは——少なくともロールズが考えた——政治の営みではありません。

この意味での「正義」を堂々と語り、その構想の内実を明らかにし、合意形成に向けた手続きの適正さの確保に力を尽くすこと。そのように「正しいことば」が正しく運用されるならば、アメリカにおいて理念はまた活力をとり戻すでしょう。その見はてぬ一歩をふたたび踏みだそうというのが、二〇二〇年一一月の勝利演説がもっていた歴史的意義なのだと思います。

2章　「正義」の前提としての「公正」

アメリカの「正義」、再訪

前章では、二〇二〇年のアメリカ大統領選挙後の勝利演説を事例に、アメリカにおける「正義」の用法をみてきました。そこで述べたのは、こうした「正しいことば」が「まだ実現してはいなくても、そうあるべき可能性」を示す用途でもちいられ、そこに向けて社会的合意を形成しうる構想として打ち出される、ということでした。

世界が注視するなか、なんとかとりおこなわれた二〇二一年一月二〇日の大統領就任式においても、こうした「正義」の使い方がありました。この式典で一躍知られることになった詩人アマンダ・ゴーマンが詠った自作詩の冒頭に近い一節です。美しい韻文を再現できないので、原文と訳を併せて引用してみます。

現にいまある規範や考え方は、つねに「正義」だとはかぎらないのです。

(The norms and notions of what just is, isn't always just-ice.)※1

詩のタイトル「わたしたちが登る丘（The Hill We Climb）」という表現じたい、こうした見はてぬ理念としての「正義」の実現をめざしていく運動を示唆しているのでしょう。

さて、こうした「正義」の用法をよみがえらせた政治哲学の巨星が、ジョン・ロールズでした。前章では、彼自身が提唱した「公正としての正義（Justice as Fairness）」というフレーズを紹介しました。ここからは、いよいよこの「公正」ということばの使われ方をみていきたいと思います。

さしあたり確認しておきたいのは、この「公正（フェアネス）」こそロールズ流の「正義の構想」の前提である、という点です。ここで重要なポイントは、「正義」とは個々人の価値観（「善」の構想、よいと思うこと）の違いを超えた社会的合意を可能にするための構想である、ということでした。

こうした「善」と「正義」を区別する――「正義」ということばをいわば大事に使う――ことによって、ロールズ以降の「正義」は、だれかを黙らせるためのことばに陥らないくふうがなされていたのでした。では、そのさいの前提となる「公正」とはどんなものなのでしょうか。

※1 動画(https://www.youtube.com/watch?v=Wz4YuEvJ3y4)と書き起こしから訳出しました。

合意するための「場」

まずはロールズ自身のことばづかいをみていこうと思います。「公正としての正義」というネーミングについて、彼はつぎのような説明をしています。

それはつぎのような考えを伝えようとしている。すなわち、公正であるような初期状況において合意されたものが「正義」の諸原理なのである。この〔「公正としての正義」という〕呼称は、「正義」の概念が「公正」の概念と同じものだということを意味しているわけではない。※2

少々ややこしいですが、重要なのは二点です。

まず一点目は、最後の文で「正義」＝「公正」ではないと明言されているように、ロールズにとって「公正」とは正義の内実そのものではなく、正義が合意されるための前提条件にかかわっています。つまり、「正義」について合意されるためには、その場が公正である必要がある、と言っているようです。

二点目は、「正義の諸原理」となっているように、正義の原理は複数ありえます。そして、それぞれの原理の条項がなんであれ、「公正である」といえる場において合意されたものであるならば、それは「正義」の名を冠するに値するのです。

もしかしたら、「初期状況」というのも気になるかもしれませんが、ひとまずここではたんに「状況」と読みかえてください。

というわけで、どうも「公正」というのは、なにかしらの場づくり、場を統べるルールにかかわる概念のようです。とりわけ、ひとびとが合意するための「場」や「状況」を形容するものとしてもちいられているのはたしかです。

このヒントを頼りに、検討を進めていくことにします。

みなでとりくむ「命がけの挑戦」

ロールズは、わたしたちが「正義」についての合意を形成する、そしてそのために会話が営まれ

※2 ジョン・ロールズ『正義論 改訂版』三節より。邦訳一八-一九頁。日本語訳版(川本隆史・福間聡・神島裕子訳、紀伊国屋書店、二〇一〇年)も参照しつつ、原文から訳出しなおしています。〔〕での補足と強調の傍点はわたしが付与したものです。以下も同様です。

る「場」の条件として、「公正」ということばを導入していました。この用法を理解するためには、彼の「場」全般、そして「社会」についてのとらえ方を参照することが役に立つでしょう。

わたしたちが営んでいる「社会」とは、どんなところでしょうか。いろいろな答え方があると思いますし、かならずしも唯一の正解があるタイプの問いではありません。ロールズ自身は、「社会」をつぎのようにとらえています。

社会とは、おたがいにとって利益があるように、みなでとりくむ命がけの挑戦である。そこでは利害・関心の一致ばかりでなく、その対立や衝突が起こるのがつねとなる。〔それでも〕各人が自分だけの力でひとり生きることと比較して、社会においてみなでともにとりくむことによって、すべてのひとにとってよりよい暮らしが可能になるからこそ、利害・関心の一致が成立するのだ。※3

ここで、「みなでとりくむ命がけの挑戦」と訳した原語は「a cooperative venture」です。意訳気味ですが、社会という営みを「危険のともなう投機・冒険（venture）」と表現するところに、ロールズの姿勢がよく現れているように思います。つまり、社会とはみなで営むものであるが、それはまったく安定していない、一触即発の危険に満ちたものだというのです。

なぜかといえば、まず各人が求めるものが対立するからです。社会に参画するひとりひとりは、異なる利害・関心（interest）をもち、それぞれにとって必要なことを追求します。ただ、これじたいはネガティブなことではなく、むしろロールズは社会の構成員のニーズがおのおの違っている――すなわち多様である――ということをポジティブにとらえ、その点をこそ重視しています。

これはロールズが登場する以前、「最大多数の最大幸福」という有名なスローガンで知られる功利主義という哲学上の立場が、各自のニーズの多様性を軽視していたことへの反省と批判に根差しています。ニーズの多様性を軽視し、社会における「幸福」の総量を云々することは、ただちに多数派にとっての福祉という大義名分のもとで少数派の権利を抑圧することに直結するからです。

功利主義への批判をふまえてロールズが構想したいのは、どれほどマイナーなものであっても個々人がみずからのニーズを追求する権利が適切に確保される社会です。こうした多様性を尊重する社会は、同時にある種の不安定さをかかえこまざるをえません。

※3　ロールズ『正義論 改訂版』一節より。邦訳七頁。

現にともに生きているから、他者が気になる

社会の不安定さは、個々人のニーズの多様性――ロールズの用法では「善」構想の多様性――にも要因がありますが、ポイントはそこではありません。おのおのが違うニーズをもちつつも、それを達成するうえで独力よりもマシな選択肢として、わたしたちはみなで力をあわせつつ生きること――「協業（cooperation）」――を選ぶのでした。

協業の結果、みなにとっての便益が生みだされるわけですが、今度はその便益の「分配」が問題になります。協業を可能にするために自分が負担したり、我慢したりすることがおのおのあります。社会に参画するとは、各種のルールに従うことであり、好き勝手にふるまう自由を制限されるからです。

そこで個々人にとっては、当然のように、自分が負担した分に見合った利益があるのか、さらには負担に対して最大の収益を引きだしたいという、いわば「収支バランス」が気になります。しかし同時に、それればかりでなく、いっしょに「社会」という挑戦的事業にとりくんでいる周囲のひとたちはどんな負担をして、どんな利益を得ているのかも、わたしたちはつい気にしてしまいます。

自分の分け前はほかと比較して正当なのか。自分はほかのひとよりも損をしているのではないか。

この「分配」という局面にこそ、社会の不安定さの源泉があるのです。そしてまた、「正義」が求められる要因もここにあります。

こうしたロールズの洞察の鋭さは、たとえば日本での「生活保護バッシング」のような場面を思い出せば、理解できると思います。わたしたちの社会が不安定であるのは、たんにわたしたちのニーズが多様で、ときとしてそれらが対立するからではなく、それでもわたしたちは現にともに生きているからであり、そしてそれゆえにこそ分配をめぐって利害・関心を共有してしまうからなのです。

わたしたちは「適度な」正義を実現できる

この「現にともに生きている」ということが、政治哲学者としてのロールズの重要な出発地点ではないかと思います。いま「ダイバーシティ&インクルージョン（D&I）」というスローガンがビジネスなどでもしきりに取りざたされています。そこでの「多様性（ダイバーシティ）」とは、あるべき理想の状態とか、めざすべき方向性のようにとらえられてはいないでしょうか。しかしロールズにならうならば、「多様性」とはすでにいま、そしてこれまでもずっと厳然として存在してきた事実であり、まずはその事実からはじめなければいけません。

わたしたちは多様なニーズをもつ構成員たちによって、不安定な社会を営むという「命がけの挑戦」にとりくんでいます。それはつねに危機にさらされており、ときに破綻が生じます。現状はかろうじてまわっているにすぎません。しかし、かろうじてとはいえまわっているからこそ、わたしたちはなんらかの「正義」の構想について合意することができるはずであり、よりよい共生は可能なのだ――こうした冷めた現状認識と理想への情熱が共存する点こそが、ロールズのことばづかいを魅力的なものにしているのだと思います。

ちなみにロールズ自身は、政治哲学の役割をつぎのように述べています。

われわれは、政治哲学を、現実主義的にユートピア的なもの、つまり、政治的に実行可能なものの限界を徹底的に調査することとみなす。社会の将来に対するわれわれの希望は、社会的世界は少なくともほどほどの政治秩序を可能としており、それ故に、完全ではないけれども、適度に正義に適った民主的政体が可能であるという確信に基づいているのである。※4

政治の主題が「分配」である以上、そのバランスはつねに問題になります。完璧なバランス配分はいまだかつて実現したことがないでしょうし、今後も実現しえないかもしれません。しかし、現にともに生き、社会を営んでいるわたしたちは、ほどほどであれこのバランス感覚をもっているはずです。そうした感覚にもとづけば、完璧ではないまでも「適度な正義」は実現できる——つまり、理念としての「正義」は見はてぬものと思われるかもしれませんが、わたしたちにとって地に足のついた日常から地続きにあるのです。

そして、こうしたわたしたちのバランス感覚を、きわめて巧みに理論的なことばにしたものが、ロールズの掲げる「公正としての正義」であり、そこで明示される「正義の原理」でした。

「全員にとっての利益」のための責務

さて、あらためて本題であった「公正」にもどってきました。

わたしたちがともに不安定な社会を営むという挑戦において、おのおのの利害・関心を共存可能にし、また協働の果実を適切に分配するために機能する社会システム（制度）が「正義」です。そして、「正義」が合意されるための前提条件となるのが、そうした合意を形成する場が「公正（フェア）」であることでした。

※4　ジョン・ロールズ（エリン・ケリー編、田中成明・亀本洋・平井亮輔訳）『公正としての正義 再説』、岩波現代文庫、二〇二〇年、八頁。強調の傍点はわたしが付与したものです。

ここまでの話をふまえると、公正さとはわたしたちの社会的な協働において、わたしたち個々人に要求される事柄（責務）を指しています。ロールズ自身のことばでは、以下のように表現されます。

多くのひとびとがルールに則って、おたがいにとって利益があるようにみなでとりくむ命がけの挑戦〔である社会〕に参画している。そしてそれゆえに〔多数派だけでなく〕全員にとっての利益を生みだすのに必要な仕方で各々の自由を制限しているのだ。そうした制限に従っているひとびとは、自分たちの〔自由の制限への〕服従によって利益を得ている側のひとに対して、同じように従うことを求める権利をもっている。わたしたちは、みずからの公正な負担（fair share）をこなすことなしに、ほかのひとびとが労力を払った協働のとりくみから〔不公正な〕利益を得てはならない。※5

この箇所については、「義務をはたしている者だけが権利をもつ」というようなよくある単純化された理解をしてはいけないことに注意しましょう。まず、ここで強調した自由の制約に従っている者がもっているとされる「権利」の内実は、あくまで「あなたも従うように」求めることだけに限られています。ここでの強調点は、むしろ最後の一文にあると思います。つまり、応分のフェアな負担（自由の制限）を担うことなしに、社会的な協業の結果生じる利益にだけ浴するのは不公正であり、「公正であれ」という責務に反していると言っているのです。

さらにまた冒頭部分も重要です。わたしたちは現に社会に参画しているので、「そしてそれゆえに〔…〕自由を制限している」も責務を表現したものと読めます。わたしたちは、多数派だけでなく「全員にとっての利益」に資するよう、自身の自由を制限するという責務を担っているのです。なお、さきほどの社会観をふまえれば、「全員にとっての利益」とは、「最大多数の最大幸福」ではなく、「少数派をふくむ個々人にとってのニーズ」ということを意味しています。

コロナ禍における「自粛」と公正

もう少し具体的に考えるために、二〇二〇年からわたしたちみなが直面してきた新型コロナウイルスのパンデミックにともなう、さまざまな自由の制限を話題の俎上に乗せてみましょう。感染拡大の抑止という全員にとっての（なかでも、とりわけ切実性が高い少数者にとっての）利益のために、移動の自由をはじめとした多くの自由を制限することを、わたしたちはずいぶんと長いこと受

※5　ロールズ『正義論 改訂版』一八節より。邦訳一五〇頁。

け入れてきました。

このとき、わたしたちの忍従——たとえば夜八時以降は外食をしないといった自粛——によって、公衆衛生や医療リソースの確保といった利益を享受している者（たとえば政治家）が、自身の行動の自由は制限せず、会食をくり返したり深夜まで繁華街で飲食をしていたとなると、それはフェアではない、と責めたくなるはずです。これは単純化してはいますが、ロールズ的な「公正」の用法といってよいでしょう。

このさいの不公正さは、つぎのように説明できます。まず夜八時以降に外食をすることもしないことも選べる自由をともに有している市民どうしであるとして、両者にとって共通の利益のために、その自由を制限することになっているという状況だとします。

このとき、自粛しない側は（可能であり、かつ責務として引き受けたはずの）自由の制限というフェアな負担を担うことなく、不当に利益だけを得ていることになるでしょう。なお、それが政治家である場合には、その地位に相応の責務に背いていることも、もちろん別途批判されえます。

では同じような論法から、いわゆる「自粛警察」のような——自分が従っている制約に従わないひとを告発し、攻撃しようとする——活動も、ロールズ的な「公正」の観点から擁護されるでしょうか。この場合はさきほどより自明ではありません。

たとえば自粛要請を受けた飲食店は、すでにさまざまなかたちで一市民である以上に自由を制約されており、経営上の窮地に追い込まれ、切実なニーズをいだいていることが考えられます。そのとき当の飲食店が、経営存続のためにさらなる自由の制限を受け入れないことは、少なくともさきほどの例における市民どうしのケースのように単純に不公正であると批判することはできないでしょう。※6

それどころか、飲食店ばかりが不公正に利益を制限されているとして、そのバランスの欠如を問いなおし、「分配」を再検討することが求められるのがロールズ的な理路であると思われます。

「公正」は、思いやりや優しさではない

ここまで、ロールズの「公正」の使い方について、そのモチベーションとなっている社会のとらえ方や課題の認識にふれつつ、検討してきました。以上の記述内容は、とりわけロールズについて前提知識があるひとほど、もどかしく思われたかもしれません。

というのも、ロールズ哲学および「公正としての正義」の標準的な紹介にさいして、ほぼかなら

※6　ありうる批判的な理路としては、同程度に選択肢を有した飲食店どうしで一方が自粛し、他方がしなかったという場合です。ただし、この場合も不公正が生じるのは当該の飲食店間においてであって、第三者がおこなういわゆる「自粛警察」的活動とは一線を画するでしょう。

ず言及される「正義の二原理」の具体的な条項が最後まで登場しなかったからです。また、この構想を導入するための有名な概念的道具立てである「無知のベール」や「原初状態」といったロールズ哲学の専門用語も紹介しませんでした。

そのようにした理由は、ここでの目的が、ロールズ哲学への入門や、その「正義」や「公正」の教科書的な意味の提示ではないからです。あくまで「正義」や「公正」といった「正しいことば」の使われ方が、本書の主題でした。

そのためには、多くの用語を導入するよりも、日常的にもちいるようなボキャブラリーのなかで、当のことばたちがなにと両立して、なにとは区別されているかということを確認するほうが有益でしょう。また、「正義」や「公正」といったことばをふくむロールズの主張が、いったいなにを目的として、あるいはどういった理由からおこなわれているのかを確認することも、その用法を理解する手助けになるはずです。

こうした観点から、ロールズにおける「正しいことば」の使い方について、さしあたり以下のことがいえそうであると結論づけて、章をあらためたいと思います。

・「正義」とは、各人が追求し、対立しうる「善」構想から区別され、つねに合意されうる構想として導入されている。

・「公正」とは、わたしたちが正義について合意するために、場に求められる条件であり、各人に課せられる責務である。
・わたしたちがともに営む社会とは、少数派をふくむ多様なニーズが渦巻く不安定で挑戦的なプロジェクトである。しかし、わたしたちはどうにかそれを現に営んでいる。
・社会という営みがかろうじて可能になっているからには、わたしたちは「公正」にかかわるバランス感覚を多少なり身につけているはずである。

とりわけ強調したいのは、第二の点です。「公正」であることが責務であるということは、ロールズの用法において重要です。それが責務であるとは、合意された「正義」の原理としてわたしたちに課せられている、ということです。

たしかにこの責務は、わたしたちが引き受けているものなのですが、各人が備えている「善」構想――なにを価値あるものとし、どんな利害・関心、あるいニーズを追求するのか――とは独立のものです。（もちろん、各人の「善」構想がたまたま一致するケースもあります。しかし、それは公正な社会において、なによりもめざされるべき目標ではありません。）

したがって、公正であることとは当人の考え方の傾向や資質、つまり内心の優しさや思いやりとは関係ありません。むしろ、内心がどうあれ、社会という「みなでとりくむ命がけの挑戦」に参画するからには遵守を求められ、それはふるまいの次元において具体的に反映されなければならないルールなのです。

「公正」や「正義」が気持ちの問題ではないという、この論点の重要性は――これらの「正しいことば」をどうにも使いづらい――日本語における用法と比較してみることで、いっそうきわだつはずです。そういうわけで、次章では日本語における「正しいことば」の用法を追ってみたいと思います。

3章　道徳教育と「正しいことば」の危険運転

学校で学ぶ「正しいことば」

ここまでアメリカの話が続きましたので、そろそろわたしたちがもちいている日本語にたち返ってみましょう。もとをただせば、日本語ではどうも「正しいことば」が気軽に使いにくいのではないかというのが、本書の課題意識でした。

これまでとりあげてきたのは、たとえば「正義」や「公正」でしたが、たしかにこれらはどうにもかまえてしまうことばかもしれません。「正義」というと、どうも冷笑的なニュアンスがつきまとってしまい、たびたび例示した「正義の反対は別の正義」のような相対主義的な用法もすぐに思い浮かんでしまいます。なお、こうした個々人の価値観としての「よきこと」は、「善（good）」についての構想」と呼んでおいて「正義」はそれとは区別しよう、というのがこれまでたびたび確認してきたロールズ流の「正しいことば」の乗りこなしテクニックでした。

では、「公正」はどうでしょう。こちらはさらに日常的に発話したり、見聞きしたりする機会が少ないように思います。パッと思いつくのは、「公正取引委員会」とかメディアにかかわる「公正・公平な報道」あたりでしょうか。どちらも「どういう意味？　別のことばで言い換えてみて」と求められると、なかなか応答に窮しそうです。

こちらもロールズ流と比較してみます。前章で紹介したように、ロールズ流の「公正」とは、「わたしたちが正義について合意するため場に求められる条件であり、各人に課せられる責務」でした。そして、それは各人の対立しうる利害の調整、その「バランス」にかかわってくるものでした。公正さとはふるまいの問題であり、それは一種のルールである――そう表現してみると、「公正な取引」とか「公正な報道」というのは、さしあたり類似した用法にも思われます。※1

さて、こうした「正しいことば」について、日本でもいちおう公式に学んでいることになっています。それはつまり学校教育における「道徳」教科においてのことです。

「道徳」教科が掲げる目標

今日、日本における道徳の授業では、どんなふうに「正しいことば」が教えられているのでしょうか。あるいは、わたしたちのかかえるこうしたことばの「使いづらさ」の一端も、こうした教育にその理由が求められるかもしれません。そんな問題意識をほんのりいだきつつ、具体的にみていいきましょう。

じっさいの授業シーンをみてみたいところですが、それは難しいので個々の授業を設計するために学校教員が参照する「学習指導要領」をみていくことにします。今回とりあげるのは、二〇二〇年度から小学校で適用されている最新の指導要領です。※2

新しい指導要領では、第二章の各節で各教科があつかわれているのですが、「道徳」だけは「特別の教科」として第三章に単独でとりあげられています。ここで「特別」といわれるのは、この教科だけは評点による成績評価の対象外であることや、学校教育全体でおこなわれる道徳教育の「要」としての教科であるといった位置づけ上の特殊さのゆえです。

小学校での道徳教育の目標は、以下のように述べられています。(第一章　総則)

道徳教育は、〔…〕自己の生き方を考え、主体的な判断の下に行動し、自立した人間として他者と共によりよく生きるための基盤となる道徳性を養うことを目標とすること。

※1　とくに報道にかかわる場合には、そうしたルールをだれが、どのように求めているかが問題になります。たとえば以下の記事で話題になったような用例です。「自民の総裁選『公平・公正な報道』要求、専門家から懸念」朝日新聞、二〇一八年九月三日

※2　学習指導要領「生きる力」の全文は、文部科学省のホームページから読むことができます。以下(https://www.mext.go.jp/content/1413522_001.pdf)を参照しました。なお、引用にさいして傍点による強調はわたしが付したものです。また一部の記号表記を改めています。以降も同様です。

それらしいことが書かれていますが、「道徳性を養う」ためにはなにをどうすればよいのでしょうか。指導要領ではつぎのようにあります。（第三章第一　目標）

よりよく生きるための基盤となる道徳性を養うため、道徳的諸価値についての理解を基に、自己を見つめ、物事を多面的・多角的に考え、自己の生き方についての考えを深める学習を通して、道徳的な判断力、心情、実践意欲と態度を育てる。

一文が長くて文意をとりづらいのですが、ひとまず「道徳性を養う」には、道徳的な諸価値について理解することが必要だとされていることはまちがいなさそうです。序章でも述べましたが、この本の採用している言語哲学上の立場からすると、道徳的価値について理解するとは、そうした「正しいことば」を使いこなせることでした。

公正とは「差別はよくない」ということ？

道徳においてあつかわれる「道徳的諸価値」のリストのなかには、そのものずばり「公正・公平・社会正義」という項目があります。（第三章第二　内容Ｃ「主として集団や社会との関わりに関すること」）

この項目に対応する、各学年の学習内容はつぎのとおりです。

〔公正・公平・社会正義〕

〔第一学年及び第二学年〕

自分の好き嫌いにとらわれないで接すること。

〔第三学年及び第四学年〕

誰に対しても分け隔てをせず、公正・公平な態度で接すること。

〔第五学年及び第六学年〕

誰に対しても差別をすることや偏見をもつことなく、公正・公平な態度で接し、正義の実現に努めること。

学年を増すごとに段々と用語が登場してくることが印象的です。設計者としては、これらはすべて「公正・公平・社会正義」について段階を踏んでの言い換えだと考えているのでしょうか。わたしにはそうは思えないのですが、ていねいにみていきましょう。

学習指導要領をみていると、なんとなく自分の受けた「道徳」の授業の雰囲気や、ことばのニュアンスが思い出されるひともいることでしょう。わたしもそのひとりですが、こうして見返してみると、中学年のころは「分け隔てをしないように」(「みんな同じように」)とか、高学年になると「差別はよくないことだ」というのをくり返されたように思います。

日本語での「正しいことば」の使い方——そして使いづらさ——は、このあたりの初等教育ともおおいに関連していそうです。おそらくですが、熟練した日本語話者であっても、「公正・公平」はなんとなくペアで使ってみたり、その違いをうまく説明できないことは多いと思います。

また、これに「正義」を加えても事情は同じようなもので、「けっきょくどういうこと?」と問われたら、たいてい「差別」というキーワードをまじえて説明することになります。それも「差別はよくない」といった、個々人の心のもち方にかかわる価値観として説明されることが多いのではないでしょうか。

先に紹介した指導要領では、「公正・公平」は態度にかかる形容詞でした。つまり、たんなる心もちに留まらず、さらに(それを理由として)「偏見や差別を許さない」というふるまいができるように、ということが教育としてめざされています。

つまりこの構図では、あくまで個人の内面、主観的な動機と、その発露としての個々人の行動が問題になっているのです。ロールズ流の場合、公正さとは一種のバランス感覚にかかわりますが、それはけっして「気持ちの問題」ではありません。道徳的だから公正にふるまえるのではなく、どんな価値観をもっているとしても社会でともに生きる以上は公正でなければならないのです。

道徳の延長線上にある「正義」

こうした懸念を裏づけてしまうような記述を、学習指導要領の「解説」において見つけることができます。以下、「公正・公平・社会正義」を解説する箇所から引用します。

社会正義は、人として行うべき道筋を社会に当てはめた考え方である。社会正義を実現するためには、その社会を構成する人々が真実を見極める社会的な認識能力を高め、思いやりの心などを育むようにすることが基本になければならない。※3

ここでの「正義」は、なんらかの個人の道徳や倫理観（「人として行うべき道筋」）なるものが先にあって、それが社会という単位に拡張されたものだという理路になっています。だから、正義の

※3 「小学校学習指導要領（平成二九年告示）解説　特別の教科　道徳編」(https://www.mext.go.jp/component/a_menu/education/micro_detail/__icsFiles/afieldfile/2019/03/18/1387017_012.pdf)、五二頁。

実現にさいしても個々人の能力向上や良心――「思いやり」――の育成が必要になるという理屈なのです。

社会的な「正義」の実現は教育しだい。そう受けとれば、教育にかける意気込みを表明したものとも読めるかもしれません。しかし同時に、社会正義という公共的で政治的な関心事の成立が、わたしたち個々人の能力や良心の問題にされてしまってもいます。

この点において、ロールズ流の「正義」用法と異なることは明白ですが、続く一文を読むと、これが道徳教育の目標設定としても問題ぶくみであることがわかります。

集団や社会において公正・公平にすることとは、私心にとらわれず誰にも分け隔てなく接し、偏ったものの見方や考え方を避けるよう努めることである。※同前

最後の「努める」がかかっている範囲の解釈が分かれそうですが、「接し」と「避ける」の両方にかけて読むのが無難でしょうか。そうすると「公正・公平」とは、つぎのふたつの努力目標にかかっています。ひとつは「私心にとらわれず誰にも分け隔てなく接」するという、およそ立派なおとなであっても達成できてないようなふるまいへの努力。そして、もうひとつは「偏ったものの見方や考え方を避ける」という内面にかかわる努力です。

法外な目標は「正しいことば」を空虚にする

まず前者の努力目標が法外である、ということはすぐ指摘できます。ロールズ流「公正」も、ひととの接し方におけるルールではありませんが、それは共通する利害の配分におけるバランスの問題でした。そして、具体的なケースにおいて、どのような状態であれば公正が実現しているのかは原理的に特定できるものです。この場合、わたしたちはより公正である、そしてより正義にかなった社会というものを構想できます。

それはたとえば、パンデミックにおいて社会をどのように営むべきか、各分野の専門家の知見を活かしながら設計することを考えてみればよいでしょう。市民の諸活動において、どんな自由をどの程度まで制限し、それに対してどのような補償を実施するのがバランスがとれているのか、より持続可能なのかを各国の制度設計とその結果を見比べながら、よりよいあり方を模索することは、巧拙はさておき二〇二〇年以来、わたしたちが実践してきたことでした。

あるいは「婚姻」という社会的制度の運用について、わたしたちの社会の現状は公正さを欠いているのではないか、という異議申し立てがなされているのが、たとえば夫婦別姓や同性婚をめぐる問題です。これらは個々人の立場の違いこそあれ、それを超えて「公正」という観点から議論することが可能です。

ところが、ここまで検討してきている「道徳」教科においては、「公正」に加えて「公平（equality）」が併記され――それぞれなにが違うのかは書かれていませんが――、「誰にも分け隔てなく接する」という私的な態度への強烈な要請が入ってきます。この理念そのものは妥当でありうると思いますが、しかしこれを貫徹するとなると、それこそ「家族」のような社会的枠組とさえ衝突しそうです。

これは「公正・公平」のような公共的な理念を、個々人の私的な道徳観に直結させて語ってしまうことの、わかりやすい落とし穴だと思います。

たとえば、教師は生徒に対して公平に接する義務をもちますが、それは職業上の倫理です。したがって、もし身内に不幸があったというような場合に、私心にとらわれて職務を放棄して家族のもとに駆けつけることを優先したとしても、道徳的に責められるいわれはありません。

また「公平さ」は――教師が体現せねばならないように――、社会制度において実現がめざされるものです。たとえば「男女雇用機会均等法」などがそうですが、これは「機会の公平」、この場合は就業のチャンスが平等に分配されている状態をめざすという理念を掲げた法です。このとき、「公平さ」を実現させることは採用組織（に属する者）が公的に担う責務であって、個々の採用担当者の思いやりや良心の問題ではありません。

こうしたことはわかっているはずなのに、どういうわけか小学校の道徳教科では「公正・公平」

を、個々人が努力して養うべきものとして教えることになっているのです。それはあまりに途方もない、法外な目標設定でしょう。こうした「正しいことば」が日本語において空虚に響くとしたら、それは初等教育における無茶な用法と無関係ではないと思います。

日本における「正義」の息苦しさ

さて指導要領の解説は、つぎのように続きます。

社会正義の実現を妨げるものに人々の差別や偏見がある。人間は自分と異なる感じ方や考え方、多数ではない立場や意見などに対し偏った見方をしたり、自分よりも弱い存在があることで優越感を抱きたいがために偏った接し方をしたりする弱さをもっていると言われる。いじめの問題なども、このような人間の弱さが起因している場合が少なくない。所属する一人一人が確かな自己実現を図ることができる社会を実現するためには、そのような人間の弱さを乗り越えて、自らが正義を愛する心を育むようにすることが不可欠である。

〔…〕※同前

ここでは、正義の実現をさまたげる要因として「差別や偏見」が指摘され、これらの原因が「人間の弱さ」であるという立場を採っています。さらには「いじめの問題」までひとからげに当事者の「弱さ」に原因を求められ、この「弱さ」は教育を通じて克服されるべきものとして説かれています。

複数の問題を提起することができますが、ここでもさきほど指摘した「公共的（public）」な感覚の乏しさが大きな影を落としています。端的にいって、いじめの問題を当事者の弱さの問題にのみ関連づけて語ることは、学校という公共空間を適切に運営するという社会的責務の存在とそれを負うべき立場にある者の責任を隠蔽することに直結します。

また、ここでは「正義」が愛——つまり主観的な選好態度——の対象であると述べられています。あらためて道徳教科が教える「正義」とは、ロールズ流にいえば「善の構想」にすぎない、ということがここで裏書きされてしまっているのです。

こうした理解にもとづいてロールズ流のことばづかいで整理してみるならば、引用部分ではつぎのような主張がおこなわれていることになりそうです。

- 正義とは、個々人ごとにいだかれる善構想のひとつである。
- 正義とは、教育を通じて育まれるべき価値観である。

・正義とは、差別や偏見といった弱さを克服することで実現する。

ここからは、「正義とは任意のもの（ひとつの善構想）だが、まともに教育を受けたならばめざされるべきもので、めざさない人間は弱い」という帰結が出ます。さらには「正義が実現しないのは、弱さを克服できない人間のせいである」ともいえそうです。

これらはいずれも、公共的な目標設定とその漸進的な達成にかかわる課題を、個々人の努力と内心の問題に帰着させ、制度や組織を免責することにつながっています。わたしたちが、日本語において「正義」はどこか息苦しいという感慨をもつとしたら、それにはこうしたじゅうぶんな背景があるわけです。

「道徳としての正義」と会話における事故

ここまでの検討を通じて、道徳における「正しいことば」の用法が、ロールズ流のそれとはまったく異なるということは、いまや明らかだと思います。そして、こうした用法が日本語における「正しいことば」を使いづらくさせているのではないかという仮説は、それなりの説得力がありそうです。

ただし、かならずしも日本語に特有の用法であるとは思いませんので、こうした道徳（善の構想）の一種として「正義」を位置づける用法を、ここからは「道徳としての正義」と呼ぶことにします。「道徳としての正義」においては、わたしたちみなが一致して、ひとつの価値観（善構想）を心から望むことが理想とされています。

他方、ロールズの「公正としての正義」においては、わたしたちが多様なことを望みうるということをそもそもの出発点として、そうした者たちが共生するためのルールと仕組みとして「正義」が構想されていました。

ロールズの場合、個々人の善構想どうしがバッティングし、対立することは大前提です。むしろ、個々人にとって善構想の自由な追求が最大化されるためには、社会がどのような協働のシステムをとっている必要があるのか。そして、そうしたシステムを作動させる原理としてふさわしいものはなにか、というこの問いに対して提出される回答のひとつひとつが「正義」（の構想）なのでした。

この点からすると、本章で論じてきた「道徳としての正義」の問題点が、また異なるかたちで指摘できます。それは「コミュニケーションという公道における事故」、すなわち「会話を止める」という事態との関連です。

会話の止め方――三つのタイプ

序章でも述べたように、「正しいことば」が難しいのは、こうした語彙をへたに使うと容易に「会話を止める」という事故につながるからでした。具体的には、何度かふれている「正義」の相対主義的用法というものがありました。おたがいが「正義」をふりかざしはじめると、もはや実力行使に訴えるしかない、というやつです。

ロールズ流の「正義」用法がコミュニケーションという公道における「安全運転」である理由は明白で、そもそも合意不可能な構想は「正義」の名に値しないからでした。このシンプルなテクニックの代償として、ロールズはこうした社会的な合意がなぜ、どのように可能になるのかを論じる責任を引き受けるのです。

他方、「道徳としての正義」は明確にこの「相対主義」タイプの「事故」を引き起こしがちです。まず、それは個々人の善構想でしかない以上、当然ながら相互に対立することがありえます。しかし、問題はその点だけではありません。

さらなる問題は、「正義」の所在が道徳として、ひとびとの内面に位置づけられることです。正義を奉じているか――指導要領でいうと、「正義を愛する心」を育み、「弱さ」を克服するよう努めているか――は、ひとえに内心の領域にかかっているということです。本気で正義を奉じており、努力していると本人が言いつのるとき、わたしたちは原理的にそれを否定することができません。「正義」のような強いことばを私的にふりかざすひとに対して、――完全に同調する以外の有意義な仕方で――会話が打ち切られない可能性を担保するには、なんらかの異議申し立てができる必要があります。そして、この場合にはまずさきの「相対主義」タイプの事故リスクを避けるため、会話の打ち手は「あなたのふるまいは、あなた自身が奉じていると主張しているところの正義に反しているのではないですか？」というかたちをとるのが有効でしょう。

しかし、このタイプの異議申し立てがおこなわれたとき、自称「正義」の担い手の側は、少なくとも二種類のやり方で会話を打ち切りにかかれます。ひとつは「きみは、わたしの正義を誤解しているよ」という路線のもの。もうひとつは「いや、反していないよ。きみにはわからないだろうけど、わたしはたしかに正義にかなうよう努めているからね」という路線です。

前者のルートは、いわば「解釈の決定不能性」タイプの事故といえそうです。ただ、この場合は、異議申し立て側がもう少し食い下がってその内実を話すように求め、それを擦り合わせれば多少なりとも会話は続けられそうです。「それも違うなぁ」などと逃げられた場合には手詰まりになりえますが、少なくとも決定打にはなりません。もっとも、どこかで「けっきょく、わたしの言いたいことは、きみにはわからないんだね」などと後者のルートに合流する手が残されています。

問題はこの後者のルートです。これを「一人称特権による訂正不可能性」タイプの事故ということができます。ある主張の理由や根拠が、個人の内面やその話者の固有な体験などである場合、その根拠じたいは原理的には何人にも否定できません。

こうした「一人称特権」的な主張の典型例として、哲学においてはよく「わたしは痛い」といった感覚にかかわる主張が挙げられます。ただし、ここでの話題に即したならば、より現実的に出くわすことが少なくないであろう「こどもの親になったひとにしかわからない気持ちがある」とか「男に生まれた者にしかわからないよ」とかいった一見それらしいようで、その実として当事者性を一種の武器としてふりかざすことによって、会話を打ち切りにかかっているタイプの論法を思い浮かべていただければと思います。

ただし、このタイプの「事故」を引き起こしうる「一人称特権による訂正不可能性」とは、マジョリティが占める会話空間での「声」を認められていないマイノリティにとって、重要かつほとんど唯一の武器でもある、という点も忘れてはいけません。会話のなかで発することばをもてない状態にまで追い込まれたとき、この武器を頼みにみずから会話を「打ち切る」ことは、マイノリティにとって自分の尊厳を守るための数少ない手段でもあります。もしこのタイプの「事故」を余儀なくされたとき、それがいわば「煽り運転」の結果として生じたものでないのかを検証することが必要でしょう。

本書では、会話を打ち切らざるをえない状況が生じることを、コミュニケーションという「公道」における「事故」というメタファーをもちいて論じています。このメタファーをさらに続けるならば、こうした事故の「責任」は——じっさいの事故がそうであるように——、最終的に事故を起こしたことばの乗り手だけのものではないでしょう。事故の状況によっては、そうした運転を余儀なくされる状況にまで追い込んだほかの乗り手たちの側に責任が求められる場合もありうるのです。

この論点についてでは、この先でもくり返しあつかっていくことになりますが、ひとまずは本章の話題を閉じましょう。日本語での道徳の公教育における学習指導要領にみられる「道徳としての正義」は、ロールズ的な「公正としての正義」とまるで異なるばかりでなく、コミュニケーションにおける持続可能性、すなわち会話の継続という観点からも問題ぶくみでした。それは、上記の三種類——「相対主義」「解釈の決定不能性」「一人称特権による訂正不可能性」——どのタイプの事故にも容易につながるような、きわめて危なっかしい「正しいことば」のドライビング、いわば危険運転なのです。

4章　「道徳としての正義」とトランプ現象

ドナルド・トランプと「正しいことば」

前章では、日本の小学校「道徳」教科の学習指導要領をとりあげ、「公正」「正義」といった正しいことばの用例をみてきました。そこで確認できたのは、こうしたことばが文字どおり「道徳」の徳目として、つまり個々人の内心や努力にかかわるものとして登場していることでした。

公共的な関心ごとである「正義」を、個々人の「思いやり」や「良心」の延長線上にあるものとして論じることは、一見するとそんなにわるいことではないと思われるかもしれません。みんながやさしい社会。それはそれで理想的だし、たしかに現実的ではないかもしれないけど、めざすことのなにがわるいのか、と。

どうして「道徳としての正義」——あるいは個人の内面に訴える「お気持ち」としての正義と言い換えることもできるかもしれません——が問題ぶくみなのか。前章でも後半に「会話の止め方」という観点からいくつかの指摘をしましたが、具体的な用例をふまえながら、あらためて考えてみたいと思います。

そのさい、1章と2章でとりあげた二〇二〇年のアメリカ大統領選挙におけるもう一方の陣営のことばづかいに注目します。すなわち二〇一六年の選挙から四年間、アメリカ合衆国の大統領として君臨したドナルド・トランプと彼を支持したひとびとが、どんなふうに「正しいことば」をあつかっていたのかを垣間みていくことにしましょう。

なおこうした趣旨から、本章ではトランプおよびその支持者のことばづかいに言及します。以下、そうした箇所では事前に注記しますが、引用箇所は飛ばしてもらっても論旨は追えるように書いたつもりです。また地の文として書く場合にも、語尾を「〜だ」「〜である」体としました。ご留意のうえ読みすすめていただければと思います。

トランプ現象を「予言」した哲学者

二〇一六年一一月、アメリカ大統領選挙の開票が進み、多くの予想を覆して共和党の大統領候補、ドナルド・トランプの当選が決定的になると、メディアはこぞって「有識者」になぜこんなことになったのか理由を求めました。日本でも、「トランプ現象」というフレーズが飛び交っていたのを覚えておられる方も多いでしょう。二〇二二年の中間選挙でもこのフレーズはとりざたされましたし、在任中から政権移行期間における数々の違法行為が指摘され、起訴手続きが進むなかにあっても、トランプは二〇二四年の大統領選への出馬を表明しており、少なくない支持者が喝采を送っています。この「現象」は、いまのところ終わりをむかえる兆しがありません。

それ以降の時代を決定づけることになった二〇一六年の選挙直後、「トランプ大統領の登場を予言していた」として注目を浴びた一冊の本があります。それは『アメリカ 未完のプロジェクト』という一九九八年——したがって大統領選挙の二〇年近くまえ——に出版された本です。※1

著者は哲学者リチャード・ローティ。彼自身はトランプ時代をじかにみることなく、二〇〇七年に亡くなっています。ローティの名前は序章にも登場しましたので、覚えておられる方もいるかもしれません。そのさいには、ことばの乗りこなし方に関連して、「会話の根本的ルールは、それを打ち切らないことである」という主張をおこなった哲学者として紹介していました。

ローティはとくに一九九〇年代以降、政治的な主題についても発言することが増え、その時期の

※1　リチャード・ローティ(小澤照彦訳)『アメリカ 未完のプロジェクト——二〇世紀アメリカにおける左翼思想』、晃洋書房、二〇〇〇年。なお原題は *Achieving Our Country* なので、直訳すると『われわれの国をなしとげる』とでもなるでしょうか。選挙後に同書を紹介したニューヨーク・タイムズ紙の記事(https://www.nytimes.com/2016/11/21/books/richard-rortys-1998-book-suggested-election-2016-was-coming.html)によれば、大統領選が決した三日後に法学者リサ・カーがtwitter上で同書からの引用画像を投稿し、それが大量に拡散されたことで一挙に話題になり、その日のうちに入手困難になったそうです。

代表作といえるのが『アメリカ 未完のプロジェクト』です。二〇一六年一一月に「予言」として注目されたのは、同書のちょうど以下の箇所でした。

〔…〕労働組合員および組合が組織化されていない非熟練労働者は、自分たちの政府が低賃金化を防ごうともせず、雇用の国外流出を止めようともしていないことに、遅かれ早かれ気づくだろう。時同じくして、彼らは都市郊外に住むホワイトカラー層――この人たちもみずからの層が痩せ細ることを心底恐れている――が、他の層に社会保障を提供するために課税されるなどまっぴら御免だと思っていることにも気づくだろう。
その時点においてなにかが決壊する。都市郊外に住めない有権者たちは、一連の制度が破綻したと判断し、投票すべき強い男を探しはじめることを決断するだろう。その男は、自分が当選した暁には、せこい官僚、ずるい弁護士、高給取りの証券マン、そしてポストモダンかぶれの大学教授といった連中にもはや二度と思いどおりにさせない、と労働者たちに約束するのだ。〔…〕※2

二〇一六年のアメリカ大統領選挙以降、わたしたちは、この「強い男」の顔を鮮明に思い浮かべられるようになったわけです。ローティの予言は続きます。

起こりそうなことはつぎのとおりだ。黒人や非白人系アメリカ人、そして同性愛者たちが過去四〇年かけて獲得してきたものが一掃されてしまう。女性に対する冗談めかした侮辱がふたたび飛び交うだろう。〔…〕高等教育を受けなかったアメリカ人たちが、大卒の連中から適切なふるまいについて指図されることに対して感じてきたあらゆる憤りが、ついにそのはけ口を見出すのだ。※同前

以上の三段落が「予言」として、当時のソーシャルメディア上をかけめぐったものでした。いささか時代を感じることばづかいもありますが、いま見直してもそのインパクトは色あせないのではないでしょうか。

※2 ローティ『アメリカ 未完のプロジェクト』九六頁。訳文は邦訳も参照しつつ、原文から訳出しなおしています。また強調の傍点はわたしが付与したものです。以下も同様です。

なにが「予言」されたのか？

ローティの「予言」にはいくつかのポイントがあります。順を追ってみていきましょう。まず一段落目で示唆されているのは、二〇一六年にはだれの目にも明らかになり、メディアでくり返されるフレーズとなったアメリカ合衆国の政治的な「分断」ないし「分極化」です。

同書が書かれた一九九〇年代後半のアメリカでは、現在につながる政治状況が生じつつありました。民主党（クリントン）政権下でグローバル化政策が推進され、西海岸発のＩＴ・テック系企業がアメリカ経済を牽引していくと同時に、旧来の主幹産業であった内陸部の自動車製造業や石油産業が衰退していきます。

ＩＴバブルに湧き、グローバル経済の中心地として成長する東西海岸や都市部に住む「リベラル」層と旧産業の担い手だった内陸部の労働者層とのあいだでは、「ニーズ」の所在がまるで違うものになっていったのです。そして民主党政権は「リベラル」層の支持のもと、雇用の国外流出や移民の受け入れ拡大というかたちで新たなメンバーのニーズに応える政策を進めるのです。

これには三段落目も重要です。「新たなメンバー」は、移民や国外の労働者ばかりではありません。人種やジェンダー、セクシュアリティなどに関して、そもそも存在していた多様性がじょじょに公認され、とりわけリベラルを自認する左派にとって重要な政治的主題となりました。また同じように、環境問題、気候変動についてのとりくみは地球規模での利害関係を明確にしましたし、そこでは「未来の人類」という観点まで登場します。

こうした利害の当事者となる「新たなメンバー」の（再）発見と参入は、自分たちがルールを守って並んでいる列への割り込みである。それはフェアではない。そう感じられ、憤るひとたちの存在が、政治的なバックラッシュの原動力になるだろうことが、この時点ですでに予言されていたわけです。

なお、この「列への割り込み」や「フェアではない」といった表現は、社会学者アーリー・ホックシールドが執筆した『壁の向こうの住人たち』に登場するものです。※3 同書はトランプ政権誕生の土壌となったアメリカ南部で支持者たちに聞き取り調査を重ね、そのひとたちが深く共感する物語――ホックシールドは「ディープストーリー」と呼びます――を描きだし、二〇一六年の全米ベストセラーになりました。

ここからは同書を手がかりにしつつ、トランプ現象の原動力となった怒りという感情が、「正しい

※3 アーリー・ラッセル・ホックシールド（布施由紀子訳）『壁の向こうの住人たち――アメリカの右派を覆う怒りと嘆き』、岩波書店、二〇一八年。第九章。

ことば」の代表である「公正（フェアネス）」とどのように関係していたのか考えてみましょう。

「アイデンティティ・ポリティクス」の時代

ホックシールドは、トランプを支持するひとびとと継続的な会話を重ねていくことを通じて、そのひとたちがけっして「狂信者」や「理解不可能な他者」ではないということを明らかにしていきます。そのひとたちからみえている光景、深く共感されている理路というものは、わたしたちにも理解可能なものなのです。（もちろん、そのうえでの賛否は別の話です。）

それは、たとえばつぎのような語りです。

〈公民権運動や女性解放運動が進展した〉一九六〇年代から一九七〇年代へ移行すると、社会制度と法律制度に的を絞っていた運動が、個人のアイデンティティに焦点を当てた活動へと変化した。世間の同情を引くには、ネイティブ・アメリカンか女性かゲイでありさえすればよくなったのだ。〔…〕これらの社会運動は、列に並んでいたあるひとつのグループには目もくれなかった。それは、年配の白人男性だ。とりわけ、地球を救う役に立たない領域〈すなわち製造業や石油産業などの旧来産業〉で働いてきた男性は置き去りにされた。こうした人々

もマイノリティだったのに。あるいは近い将来そうなるはずだったのに。※4

これがさきほどの「列への割り込み」を指しています。キーワードになるのは「アイデンティティ」です。もし現在において不遇であり、配慮されるべきアイデンティティをもった集団の利害こそが政治的な議論の主題――「アイデンティティ・ポリティクス」――になるのだとしたら、それは自分たちだって同じだ。つぎつぎと列に「割り込まれ」るなか、いつ自分たちの番が来るのか。ましてや、割り込んでくる者に怒りの声をあげることは「政治的に正しくない」とされ、東西海岸のリベラル層からは、無知で無教養であると軽蔑される。もう我慢の限界だ。――こうした理路です。

ただちに付言すれば、少なくとも人種的・性的その他のマイノリティは、新たに「割り込んだ」存在などではありえません。もともとそこに居て、特有の「ニーズ」をずっといだいていたにもかかわらず、公的にはその存在と権利を認められてこなかったのです。あるいは、公的にはもちろん、私的にさえ自身の存在とニーズを表現することばがあらかじめ奪われていたのです。

また、近年の「ブラック・ライヴズ・マター」運動を引きあいに出すまでもなく、反差別を訴える社会運動がいつまでも絶えないのは、マイノリティが「つぎつぎと列に割り込」み、権利を要求

※4 ホックシールド『壁の向こうの住人たち』三〇〇頁。〔〕内の挿入、傍点による強調はわたしが付与したものです。以下も同様です。

するからではありません。アフリカ系アメリカ人をめぐる現状がそうであるように、公的にはとっくに認められているはずの権利を公然と踏みにじるような出来事が、ごくごく日常的に頻発しているからです。

「マジョリティの怒り」を分節化する

しかし、それでもなお「割り込まれた」と感じることそれじたいには、一定の理があるかもしれません。以下、三点にわけて検討してみます。

まず一点目に、これまで意識されてこなかったマイノリティ属性、移民や環境問題を筆頭にしたグローバル規模および将来世代に向けた「分配的正義」という議題は、それに先立って、だれが分配される単位としての「われわれ」なのか、という点についての合意をみないまま進展することがありえます。もちろん、「合意」があろうとなかろうと、多様なマイノリティ属性の担い手たちが現にここに存在するという事実そのものは変わるはずもありません。しかし、このメンバーシップ感覚の醸成が、分配的正義がスムーズに機能するために重要であるということもまたたしかです。

二点目に、「列に並ぶ」というメタファーがそうであるように、配分されるべき（とりわけ）経済的資源そのものは有限であり、分配にあたっての優先順位もまた重大な政治的論点です。そして配分される原資となる全体のパイが限られ、さらに小さくなっている場合には、なおさら深刻に感じられるでしょう。このとき相対的に多数派であり、すでに権益を有している属性集団が、再配分が進むほど、じょじょに自分たちの「取り分」が減らされているという剥奪感をいだくとしたら、それじたいは理解しうることではあるのです。

なお、この点については、たとえば同性婚のようなイシューがそうであるように「差別の撤廃」の実現とは、少なくとも字義どおりの意味での「有限な資源の奪いあい」ではないということが即座に指摘できます。だれかが——あってしかるべき——権利を公認されることが、なぜそれによってなにも失うことのないはずの既得権の持ち主の剥奪感につながるのかは、それじたいときほぐすべき「ことばづかい」上の課題でもあると思います。

三点目に、本書の趣旨からしてもっとも重要な観点があります。それは仮定法的な言い方になりますが、つぎのようなことです。もし「政治的正しさ」の内実が、弱者にやさしくふるまうのがよい人間だという「道徳としての正義」に依拠するものだとしたら、現時点ではまだ多数派である集団が「列に割り込まれた」などと不満を募らせることは道徳的にわるいと責められることになります。これは、熱心なキリスト教徒として善良であろうとする南部の白人集団にとっては、信仰上受け入れがたい、きわめて屈辱的な非難なのです。

しつこく付言しますが、前章までも論じたように、少なくともロールズ流の「正義」用法は、こうした「道徳としての正義」ではありませんでした。ロールズのそれは、わたしたち個々人の「善」の構想とは独立に、社会を営む構成員として課され、また政治を通じて調整される公共的な構想です。

しかし、じっさいの言説、とりわけ批判的な議論の場においては、少なくとも批判の受け手側が「道徳としての正義」観をもっている場合には――そして、じっさいに南部の白人たちは熱心なキリスト教徒として「道徳としての正義」観をもっているでしょう――、「政治的な正しさ」の提示は自身の道徳心を非難されているのだと受けとられてしまうことになります。そうしたさいに「おまえたちこそ、えらそうに道徳を説きながら、自分たちのような新たな弱者をいたぶり、侮蔑しているではないか」と叫びたくなる――そうした回路が生じても不思議ではありません。

ロールズ流の用法に即して、「フェアではない」という社会的資源の配分の公正さにかかわるバランス感覚について、宗教的アイデンティティに抵触しないかたちで整理しながら論じることは――少なくとも理論的には――可能です。

そして、その過程において、二点目の論点であったことばづかいの困難さをときほぐし、一点目の論点であった「われわれ」という感覚をどのように醸成するのか、といった諸課題があるはずでした。しかし、こうした課題はじっさいに遂行されることなく、ついに二〇一六年、これまでふきだまってきた潜在的な「怒り」に火をつけ、煽ることを原動力とする「強い男」が現れることになります。

「感情」に火をつけたトランプ

南部ルイジアナ州をフィールドとして、政治家としてのトランプ登場以前から調査を重ねてきたホックシールドは、「現象」のはじまりをつぎのように記しています。

〔…〕まさにあの現場では、トランプ登場のための舞台装置が整っていたのだとわかる。マッチが炎を上げる前の、火がついたばかりの瞬間だったのだ。三つの要素が重なっていた。まず、わたしが話を聞いた〔南部の〕人のほぼ全員が、一九八〇年以来、経済基盤が不安定になっているのを感じ、「再分配」という考え方が出てくるのを覚悟していた。また、彼らは文化的に疎外されていることも感じていた。人工妊娠中絶や同性結婚、ジェンダーの役割、人種、銃、南部連合の旗をめぐる自分たちの考え方が、どれもこれも全国メディアで時代後れと嘲笑されたのだ。さらに、集団としての規模が小さくなってきたような気もしていた。〔…〕自分たち〔白人キリスト教徒〕が包囲された少数派のように感じられていたのだ。※5

予備選挙に挑む共和党大統領候補としてルイジアナに降り立ったトランプ候補は、つぎのように語りはじめます。

トランプは聴衆に感謝の言葉を述べると、自分がいかにして支持率を伸ばしてきたかを語りだした。「最初は七パーセントで、わたしは完敗だと言われました。しかしやがてそれが一五パーセントになり、二五パーセントになり……」ここから主語が〝わたし〟から〝われわれ〟に替わる。「われわれは上昇気流に乗っています……アメリカは最強になり、誇り高き富める国になるのです。わたしはメッセンジャーにすぎません」※6

かくして「われわれ」というフレーズは、少なくとも「アメリカ合衆国の市民」という利害をともにする共同体ではなく、そのなかでのごく一部、特定の集団の紐帯を示すことばとして機能しはじめます。壇上のトランプ候補は、会場でプラカードを掲げて差別的言動に抗議する者たちを壇上から指差して「奴らをたたき出せ」とくり返したのち、つぎのことを宣言します。

「もはや黙ってはいられません。わたしたちは、声の大きな騒がしい多数派になるのです」※7

これは「列に割り込まれた」日々を黙って耐えてきた善良な「声の小さい多数派（サイレント・マジョリティ）」という自己イメージをいだく者たちにとって、またとない「勇気づけ（エンパワメント）」のメッセージとして機能します。感情をゆさぶり、火をつけたのです。ふたたびホックシールドの観察を引用します。

感情について言えば、トランプの選挙遊説では、ほかにもきわめて重要なことが起きていた。〔…〕政治的に正しい表現や考え方を強いられる窮屈さから解放されたような感覚が生まれて、集会の高揚感に拍車がかかったのだ。「政治的な正しさなど、忘れましょう」トランプはそう呼びかけた。彼は、〝政治的に正しい〟姿勢だけではなく、一連の感情のルール――つまり、黒人、女性、移民、同性愛者に対する適切な感じ方とされるもの――まで捨てようとしていたのだ。※8

このホックシールドの書きぶりに対しては、まず指摘すべき点があります。それは、トランプの煽動は「政治的な正しさ（political correctness）」を捨て去ろうというきわめて反公共的呼びかけなの

※5　前掲書三一三-三一四頁。　※6　同三一五-三一六頁。　※7　同三一九頁。　※8　同三二一-三二二頁。

ですが、そうした危険な呼びかけを「感情のルール」と政治的正しさを結びつける「道徳としての正義」を介して感情に訴え、あたかも正当化できるかのような理路になっているということです。したがって、公的な権限を預かる政治家は、少なくとも公共の場でこうした理路を開陳すべきではない、ということはまず強調しておきたいと思います。

いずれにせよ、ルイジアナ州でトランプ候補は熱狂的な支持を獲得します。キリスト教福音派の支持を受けていたテッド・クルーズ候補に大差をつける四一パーセントという得票を獲得したのでした。それからの四年間で、どれだけ公共的な「正しいことば」の権威が毀損されたのかということは周知のとおりです。

「当事者性のことば」と「正しいことば」

さて、本章で紹介したトランプ支持者の「ディープ・ストーリー」と、それに同情的なホックシールドの筆致は、共感と理解ができるものであると思われます。しかし、先取りしたように、そこには「正しいことば」の運用をめぐる問題があるというのが、わたし自身の考えです。

トランプ支持者たちの語りにおける「道徳としての」正しいことばの用法を地の文においても採用してしまうことによって、ホックシールドは特定の「善」構想である道徳とは独立な語彙であるはずのロールズ流の「公正としての正義」の用法を見失っているようです。もちろん、トランプに票を投じたひとりひとりの「ディープストーリー」には共感可能であり、同意せずとも理解はできます。

また、すでに指摘したように、「共感」という回路を通じて「われわれ」という感覚を回復することは、いつだって必要でかつ困難な課題です。しかし、こうした課題を遂行するために、「正しいことば」を適切に使うことを曲げてしまうのは本末転倒だと言わねばなりません。

なぜならば、アイデンティティ集団としての「われわれ」に訴える話法は、そもそも「政治的正しさ」が顧慮すべき存在が無視され、ないがしろにされている事実に対するだれからも否定されない「異議申し立て」として有効なのでした。（前章の最後に論じた「一人称特権による訂正不可能性」についての検討を思い起こしてください。）こうした特殊なテクニックを「政治的正しさ」を打ち捨てる根拠として容認してしまうことは、そもそも「異議申し立て」が成立するための利害調整をめぐる公共的・政治的な議論の場そのものを脅かすことにつながるでしょう。

また前章でも論じたように、道徳心や個人の感情を「正義」の基礎とする話法は、いくつものパターンの反駁不可能な論法を可能にしてしまい、会話をたやすく強制的に打ち切ります。私的なコミュニケーションにおいてはいざ知らず、だれにとってもその利害にかかわっている政治をめぐる公共的な対話において、一方的に打ち切れる話法が公然と跋扈《ばっこ》することは、だれもにとって恐ろしい帰結をもたらしえます。

トランプと支持者たちマジョリティによる「アイデンティティ・ポリティクス」話法の乗っとりは、こうした危険性を的確に突き、自分たちの無敗の力の源泉とした事例でした。トランプ時代の四年間を経て、選挙による政権交代が決定したのちの二〇二一年一月六日にトランプ支持者たちが引き起こしたアメリカ合衆国議会議事堂への襲撃事件への道のりは、トランプの政治活動の最初期からそれを駆動した「当事者性のことば」の簒奪からはじまっていたと評することができるでしょう。「トランプ現象」とは、これからの「正しいことば」と集団的アイデンティティを関連づける場合に、いわば「ヒヤリハット」の観点として、たえず注意喚起されるべき大事故であったと思います。

ただし、こうした懸念はマイノリティ当事者にとっても、もとより意識されていたことでした。アイデンティティ・ポリティクスへの反省的吟味が、当事者のことばづかいを奪うものではないことを確認するためにも、最後にこの点をみて章を閉じましょう。

自身の「ブラック」としてのアイデンティティをつねに強調してきた哲学者コーネル・ウェストは、二〇二〇年の大統領選挙を受けてのインタビューで、つぎのように述べています。

人種やジェンダーをアイデンティティとして特権的なものにしてしまい (fetishize)、弱肉強食の資本主義システム全体の批判に結びつけないのはたやすいことです。そのたやすさこそ、わたしたちがどれほど切実に労働者や貧困層と強い連帯をもたねばならないのかということを教えてくれていると思います。わたしたちは、それらのアイデンティティのみを特別視して〔貧困や経済と〕別個の問題にしてしまうことによって弱肉強食の資本主義に対する批判が本来そなえるべき誠実さ（integrity）と一貫性（consistency）を見失ってしまってはならないのです。※9

ここでもただちに付言すれば、アイデンティティにかかわる当事者性を特権的に主張できる「たやすさ」が確保されることじたいは、とりわけマイノリティ当事者による異議申し立ての回路を確保するうえできわめて重要なことです。「他の論点など知らない。とにかくいま不当なあつかいを受けた」とつねに表明しうる場をつくらねばなりません。

ただ同時に、人種的マイノリティ当事者でもあるウェストが強調するとおり、アイデンティティの問題は——ここではバイデンの経済政策における姿勢が問われているため「資本主義」とされて

※9　二〇二〇年一〇月に公開されたインタビュー（https://jacobinmag.com/2020/10/cornel-west-commodification-spirituality-race-oppression-democratic-socialism）から訳出しました。傍点による強調はわたしが付与したものです。

いますが――、分配的な正義をめぐっての議論、全員の利害にかかわる公共的な会話と地続きにあるものです。

ある観点において弱者であることと、別の観点において強者であることとは、実質的には矛盾なく両立します。そしてこのことは、特定の場面において特定の当事者として特権的な――だれからも否定されるいわれのない――訴えが可能でありうることを損ねるものではありません。

アイデンティティにかかわる「当事者性のことば」と「正しいことば」をめぐって、両者をともに乗りこなすことの困難さについては自覚しつつも、どちらも手放さすにバランスをとりながらドライビングを続けることはできるはずです。それこそが、わたしたちみなが「トランプ現象」から学ぶべきもっとも重要な課題のひとつではないでしょうか。

コラム①

「交差性《インターセクショナリティ》」が行き交う世界

4章の末尾で「ある観点において弱者であることと、別の観点において強者であることとは、実質的には矛盾なく両立します」と書きました。たとえば、特定の国において人種的マイノリティである人物であっても、性自認においては、生まれたときに割り当てられた性別に違和感をもったことのないシスジェンダーであり、性的指向においては異性愛（ヘテロセクシュアル）であるという場合、これらの点では文字どおりマジョリティであるはずです。

これはたんに数的に多数派であるというばかりでなく、わたしたちの生きる社会の制度設計はほうっておくとマジョリティの目線でなされてしまいますので、制度的に優遇されているということを意味します。その最たるものとして、人口的にはほぼ同数であるにもかかわらず、明らかに一方が優遇されている社会がほとんどであろう「性別」という軸があります。少なくともわたしたちの生きている日本では、社会制度から大学入試の採点から、じつに数限りない場面において「女性」として生きることは劣位に立たされることでしょう。（もちろん、このことは「男性」として生きることで劣位に立つ場面がない、という主張を含意しません。）

ところで、最初に例示したような表現（「シスジェンダー」「ヘテロセクシュアル」など）がかつては必要とされていなかったという事実が物語っているように、ある属性におけるマイノリティの存在が可視化されてはじめて、マジョリティ側が「制度的に優遇」されているということが明らかになります。性自認や性的指向などをはじめ、特定の比較軸における「劣位」の極が論点化される以前には、ほとんどすべてのマジョリティは、自身が「優遇されている」とはまったく思っておらず、それを「ふつう」だとか「当たりまえ」だとか、さらには「正常」であるとして、あえて意識したり、その属性を名づける必要を感じることはないのです。

こうした世界観では、いわば「ふつう」である自分（たち）を中心とした、同心円状に拡がる空間がイメージされています。真ん中に位置する「わたし」の目が届く範囲には、「ふつう」のひとたちがたくさんおり、そのサークルの外側のほうに小さく、あるいは見えないところに「ふつうじゃない」ひとたちがいるらしいという世界観です。幼いこどもの世界観とは、こういうものかもしれません。

しかし、おとなの世界観がそうであってはならないでしょう。自分（たち）こそ社会の中心であるという幼い自己中心的感覚から脱して、世界には多様なひとたちが存在しているという厳然たる事実を学び、だれもがちょうどひとり分の権利を有しており、自分もまた一市民なのだという感覚をもつことは、おとなであることのひとつの条件です。（これは言うほどかんたんなことではないですが、しかし少なくとも「おおっぴらには」そう言うべき、というバランス感覚を身につけるところまでは、おとなとして必要なことでしょう。）

　こうしたおとなの世界観を描くとき役立つのが、先ほどのさまざまな属性単位の「軸」があり、その両極に優位側《マジョリティ》と劣位側《マイノリティ》がある、という交通整理です。こうした「軸」は数多く存在し、先ほどあげた「人種・民族」「ジェンダー・セクシュアリティ」以外でも、「心身機能の不具合」や「年齢」、さらには「容姿」とか「親の年収」といったものまで考えられます。これらは、少なくともみずから選べるものではないにもかかわらず、それによって明らかに得をしたり、損をしたりすることがありえる典型的な属性です。また「職業」のような、一見すると選べそうな属性であっても、――たとえばアメリカではホワイトカラーとブルーカラーとが分かれているように――一種の階級的な硬直性をもっており、そこにはやはり社会的な「力」の勾配があります。

わたしたちが生きる社会には、こうした社会的属性にかかわる多数の「軸」が行き交っており、それぞれの軸ごとに「力」の勾配がはたらいています。近年では、こうした描像を「インターセクショナリティ（交差性）」と呼びます。※1 さまざまな属性を指し示す複数の軸が交差する、そのただなかにわたしたちひとりひとりが存在しており、この「交差点」において出くわしながら、いっしょに社会を営んでいるという世界観です。この「インターセクショナリティ」という描像から社会をみると、さまざまなことがわかりやすくなります。

そのひとつは、特定の属性というものは「軸」の片方の極であって、その属性が「力」の勾配のどちら側であるのかは変わりうる、という点です。たとえば「日本人」であることは、日本国内では圧倒的マジョリティですが、アメリカ合衆国においてはマイノリティ属性ということになります。しかし、アメリカでも日本人コミュニティ内部においてはマジョリティとして優位側に立つかもしれません。このように、それぞれの属性が「力」の勾配のどちら側に立つかは場によって変わることがありえますが、しかしそこに「軸」が行き交っていることは共通しています。

またそれと関連して、すぐに補足すべき点があります。こうした相対性があるからといって、制度として営まれている国家単位および経済的に結びついたグローバル規模など、社会単位での「力」の勾配そのものは厳然として存在しています。その是正こそが社会制度のあり方としての、したがって正義の観点からとりくまれるべき問題である、という点を忘れてはいけません。さまざまな場の想定がありうるからといって、ひとつの軸における「優／劣」の問題は「どっちもどっち」ではないのです。

もうひとつ、きわめて重要なのは、本コラムの冒頭で述べたように、わたしたちはだれもがみな、複数の属性を併せもった存在です。このとき、わたしたちはついこうした異なる軸に位置づけられる属性どうしを比較して、「こっちの軸で弱者であるほうがつらいんだ」などと序列をつけようとしてしまったり、あるいは「その軸ではたいへんなのかもしれないけど、こっちはこっちで別の軸でマイノリティなんだ」と言いたくなったりしてしまうことがあります。

ロールズ流の正義、公正さを考えるとき、こうした軸どうしの比較衡量は、是正すべき

※1 パトリシア・ヒル・コリンズ、スルマ・ビルゲ(小原理乃訳・下地ローレンス吉孝監訳)『インターセクショナリティ』、人文書院、二〇二一年。

不公正の優先順位にかかわる重要な論点です。しかし、それは当事者どうしがひとつの軸だけを自分のアイデンティティとして固定化して、相互に比較することとはまったく異なります。インターセクショナリティが描きだすように、わたしたちはみな複数の属性を併せもっているのであって、ある軸におけるマイノリティ性にばかり固執して、別の面においてはマジョリティでもありえることを忘れるべきではありません。

このように複数の軸が行き交う座標のなかで、たえず自身の現在地《ポジション》が変わりうるというのが、インターセクショナリティをふまえて、複数形で語られるべきアイデンティティーズのあり方です。また、こうして「力」の勾配関係も場によって入れ替わるなか、どの属性を備えていようが、なによりもまず公正さの運用にかかわる責任を有する一市民である、ということを思い起こすべきでしょう。

最後に、インターセクショナリティの観点をとりいれることで可視化できる重大な問題として、複数の軸において同時にマイノリティであるという「複合差別」の問題があります。たとえば人種的・民族的マイノリティである女性は、たんに人種・民族の観点において差別を受けうる当事者であるばかりでなく、そのマイノリティ集団内においても、生殖・家事・育児・介護をはじめとした多岐にわたるケア労働を押しつけられ、対等な発言権を奪われていることがありえます。

　これらはたんに「女性への差別」と「人種的・民族的マイノリティへの差別」とに分離できるものでしょうか。そうではない、この状況に特有の苦難があり、それはたんに分解されたり、抹消されてはならないものである――このモチベーションが、インターセクショナリティという概念が求められた、なによりの原動力なのです。（この複合差別については、たとえば人種的・民族的アイデンティティの一端として、その血統を絶やさぬよう「産めよ、増やせよ」という規範が、マジョリティ集団以上にはたらきうる、というようなケースを考えることができます。）

　本書のモチーフにひきつけて、まとめてみましょう。わたしたちがことばを乗りこなしながらコミュニケーションという「公道」を往来するうえで、多様な属性の軸が行き交う交差性《インターセクショナリティ》こそが、もっとも事故が起こりがちな「交差点」なのです。この比喩は、やや無理があるかもしれませんが、ある程度までなりたっているように思います。

　交差点において事故が多発するのは、多くの場合に「乗り手」からすると、思いがけない方向になにかがあるためでしょう。同じように、公共的なコミュニケーションにおいて、わたしたちの社会にどのような「優／劣」の極をもった属性の軸が存在しており、いま目のまえにいるそのひとがどこからやってきて、どんな座標上にいるのかに対して鈍感であるとき、往々にして事故の加害者になりうるでしょう。また、そもそもどのような交差性が存在しているのか――何本の道路が行き交う多叉路であるのか――を把握していなければ、安全運転はできないのです。

この比喩を続けてみると、多くの場合にマジョリティであるような乗り手にとっては、「こないだまでは四叉路だったのに、今度は六叉路になるのかよ！」とでも言いたくなるような場面があるかもしれません。しかし、交差性の軸は「増えた」「つくられた」のではありません。それは、現に存在していたにもかかわらず「ない」ことにされていた存在が可視化されたのであり、そこではじめて名づけられたのです。ここで重要なのは、それによってマジョリティの側もまた、自分がその軸上に位置づけられる、新しい「座標」を得ることになる、という点です。

「座標」が増えることは、コミュニケーションという公道において留意すべき方角が増えるということです。それじたいを「面倒くさい」「窮屈だ」と思うこともあるかもしれません。しかし、自分自身を位置づけられる軸とそれを表現することばづかいが新たに増えたのだととらえたならば、それはむしろ、より自由に、より豊かになることでもあるのではないでしょうか。マイノリティ属性の「発見」と新たな「軸」の設定は、わたしたち——とあえて書きます——、多くの場面においてマジョリティであるものたちにとっても、自分をとりまく「地図」をより精緻に描き、新しい交差点、新しい道を発見するようなことなのです。

「インターセクショナリティ」という観点から、わたしたちが出会う交差点のあり方を考えてみることは、こうした冒険心をくすぐる、センス・オブ・ワンダーに満ちたものでもあるのだと思います。そして、これまで見過ごされてきた「事故」を避け、公道を安全に行き来するためには、つねに最新版へとアップデートされた新しい地図が不可欠なのです

（「インターセクショナリティ」に関連する章としては、4章・8章の議論も参照ください）。

Ⅱ

「正しいことば」のよりどころ

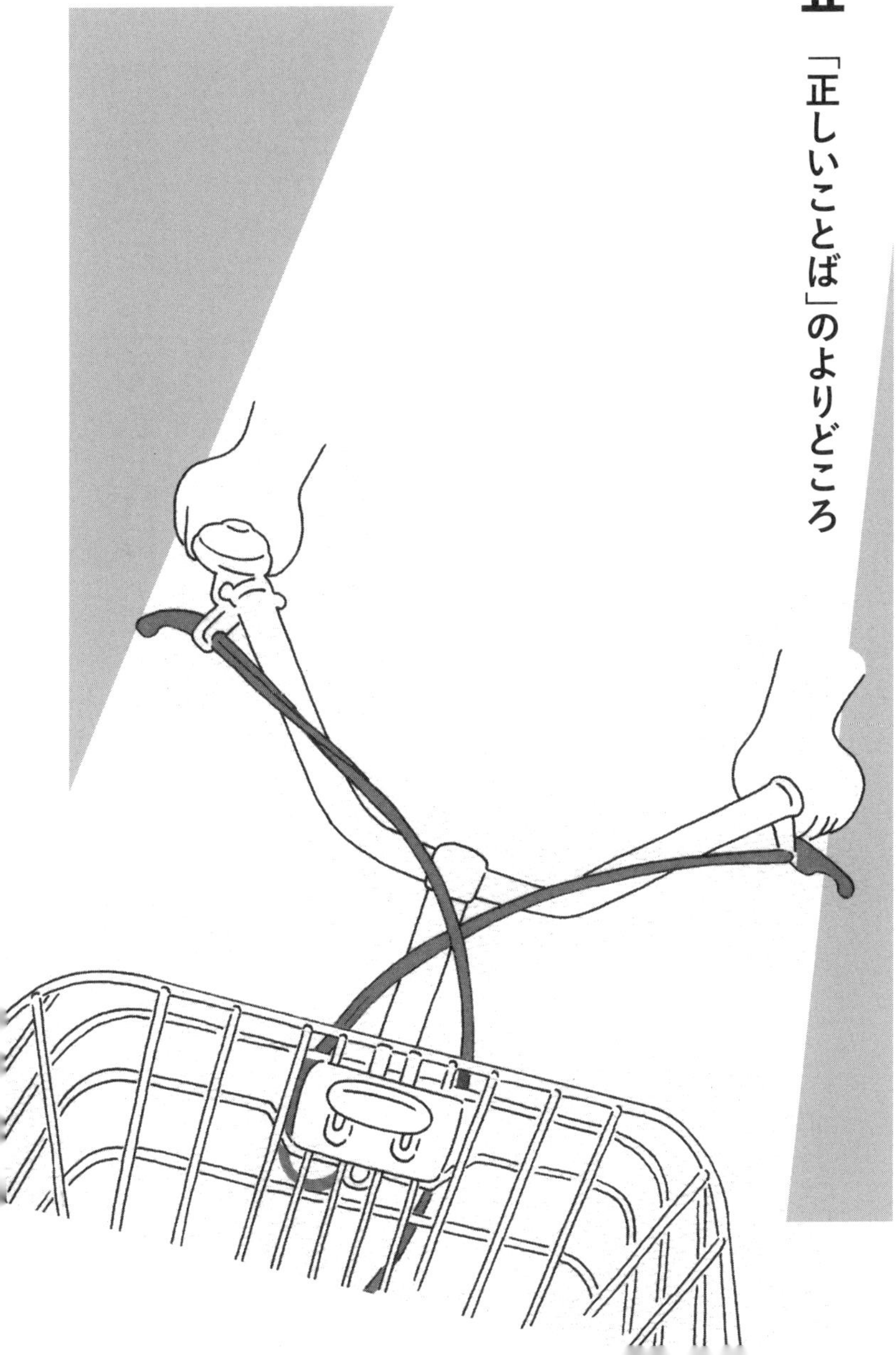

5章 「会話」を止めるとはどういうことか

あらためて、ことばを「乗りこなす」とは

この本の主題は、「正義」や「公正」などといった「正しいことば」の意味について、そのうまい使い方を検討することを通じて考えてみよう、というものでした。なぜそんなテーマを掲げるのかといえば、それはどうも日本語では使いづらいこれらの「正しいことば」を適切に使えるようになるため、です。

ここでの「うまい使い方」とか「適切に使える」といった表現は、「正確に使える」とは区別されています。また、それを通じてめざされているのが「ほんとうの意味を理解する」ということではない、という点も重要でした。正しいことばについて、その「ほんとうの意味」をうんぬんするのではなく、じっさいの使用例――それもうまいものだけでなくヘタなものこそ――を参考に、いわば見よう見まねで使ってみるための勘どころを探ることを目標に、第I部ではさまざまな使用例を検討してきました。

ここで再確認した課題意識が、ことばを「乗りこなす」という本書の表題に込められています。ちょうど自転車がそうであるように、教習所や免許のような社会制度があるわけでもなく運転技術の巧拙に明瞭な基準があるわけでもない、そうした乗りものに相当するものが「ことば」です。では、どうすればこういった類のものを乗りこなせるのでしょうか。序章ではつぎのように表現しました。

先の自転車の比喩に戻れば、どれだけ説明書を読んでも自転車に乗れるようにはなりません。むしろ、じっさいに乗ってみて、ときには転んでみたり、事故につながる数々の「ヒヤリハット」を経験することで、乗りこなせるようになっていくものでしょう。

この場合の「事故」に関して、哲学者リチャード・ローティを参照しつつ「会話の根本的ルールは、それを打ち切らないことである」という観点を紹介しました。この「会話」を決定的に止めてしまうような事態こそ「事故」であるという立場から、第Ⅰ部では、アメリカ大統領選挙や日本の初等教育における「道徳」教科のことばづかいを検討してきたわけです。

さて、ここからの第Ⅱ部では、具体的な事例から一歩引いて、そもそものところを考えてみたいと思います。なぜ上記のようなことが「会話のルール」として掲げられるのか。そして、それと「正しいことば」はどう関係してくるのでしょうか。

ローティのいう「会話」とはなにか

まずもって「会話が止まる」ことはなぜ避けるべき事故なのか、というところからいきましょう。「ひとを黙らせる」ような言動をとることや、「それを言われたらもうなにも言えなくなる」ような話法をもちいることがなにかしらわるいという直観は、おそらく広く共有されうると思います。

ただ当然のことですが、個別具体の「会話」はいつでも切り上げることができます。また途中で話題を変えたり、時をおいて再開したりすることもできます。そして、ある会話につきあい続けることが不快だったり、ある特定のひとだけが会話を続けるためのコストを払わねばならないといった場面においては、だれでもその会話を制止したり、話題を変えたり、そこから離脱することができるべきです。

もっともこうした場合には、そうさせたほかの会話の参加者に上記の「会話を止める」タイプの言動や話法がもちいられていることも少なくないはずで、その場合には「事故」を起こした責任はそちらにあるということになります。しかし、そうでないとしても個別具体の会話が主観的に好ましくないときに異議を申し立てたり、退出する権利はだれもにあってしかるべきです。以上をふまえたとき、ローティの掲げる「会話のルール」は、こうした権利を抑圧するようなものなのでしょうか。

そんなことはない、というのがわたしの考えですが、それを説明するにはローティが「会話」ということばをどう使っているのかをていねいにみる必要があります。結論からいうと、ここでの「会話」とは、あるときある場所における個別具体的な会話のことも念頭に置かれてはいますが、より抽象的に「会話」全般について考えるためにもちいられています。つまり、なんらかのコミュニケーション的な実践というものがはじまって以来、文字どおり時空を超えて連綿と続いてきた、そして今後も続くであろう営みの総体です。

ローティは、政治哲学者マイケル・オークショット（一九〇一―一九九〇）の著名な論文タイトルから借りて、これを「人類の会話（the Conversation）」と呼んでいます。その論文「人類の会話における詩のことば」から、引用してみましょう。以下の箇所からは、オークショットおよびそれを引くローティが、「会話」をなにから区別してもちいているのかがうかがえるはずです。

> 会話において参加者たちは、研究や論争にかかわるのではない。そこには、発見されるべき「真理」も、証明されるべき命題や、めざされるいかなる結論もない。参加者たちは、互いに知識を伝達したり、説得したり、論駁したりすることにたずさわるのではなく、〔…〕互いに異なっていても、相容れないわけではない。もちろん、会話が議論のことばを含んでいても

よいし、論証が話者に禁じられているわけではない。しかし〔…〕会話それ自体が議論から構成されるものではないのである。たとえば会話の参加者がある結論を逃れようとして、一見まったく無関係に思える発言をするようなこともあるだろうが、そのとき当該人物がしているのは、そろそろ退屈だと感じてきた議論を打ち切って、もっと自分にとって好みの話題へと話を転じることなのである。※1

ここでは「議論」が「会話」と区別されています。より正確にいえば、個別の「議論」をふくんだ人類のコミュニケーションにかかわる営み全般が「会話」です。引用中にあったように個別の「議論」を打ち切っても、「会話」は続けることはできます。そうして参加者や時間と場所を変えながら、営々と続く「人類の会話」というのが、オークショットを引きながらローティが念頭に置いているものです。

もうひとつ重要なのは、この意味での「会話」には、たとえば知識伝達や合意形成といった特定の共通目標がない、というところです。もちろん「議論」であればこうした共通目標があるわけですが、「会話」にはそれが営まれること以上の目標はありません。

「議論」や「探求」よりも「会話」が先にある

研究者をはじめとして、もっぱら「議論」を生業とするようなひとは、いかにも理性的で生産的なコミュニケーションこそを理想的なものとして想定し、その不完全なかたちが日常における「会話」だという構図で考えがちです。自分たちの「議論」を通じて、日常のあいまいな事象がほんとうはどうなっているかを明らかにしたり、どうあるべきなのかを提言したりすることは、とくに人文社会科学分野の研究者にとって職業的責任のはたし方でもありうるでしょう。

しかしオークショットは、ある意味で職業研究者としての自戒を込めながら、「議論」ではなく「会話」をこそ先に置きます。ローティはさらに踏み込んで、自身も属している研究の共同体が営む「探求」もまた「会話」の一部であることはもちろん、それゆえに「探求」よりも「会話」が優先されねばならない、と述べます。

※1　マイケル・オークショット(田島正樹ほか訳)『政治における合理主義[増補版]』、勁草書房、二〇一三年、二三八頁。訳文から一部訳語や三人称代名詞の訳し方などを変更しました。また強調の傍点は引用にさいして加えたものです。

探求に課せられた唯一の制約は、会話への拘束だけである。※2

これは研究者としてはやや危険な主張です。というのも、このテーゼは科学的な探求としての研究活動のルールとして掲げられがちな「議論の余地のない真理」を求めなければならない、というゴール設定を否定しているからです。

もっとも、こう言い放つことじたいはあまりに安易で、研究者としては無責任なことでさえあります。もちろんローティは、この発言がそのように映ることはよくわかっています。彼の舞台は、むしろここからです。すなわち、ローティが職業研究者としての専門性を発揮した実務、つまりここで議論から区別された「会話」について、「議論」を旨とする哲学者としてなにを述べ、どう議論の進展に貢献することができるのかという過程にこそ、ローティの哲学者としての真価が問われてくるのです。

では、ここからはローティの議論を再構成しつつ、その理路の一端をみていくことにしましょう。

「会話の豊さ」を毀損する話法

わたしたちの具体的なコミュニケーションは、それぞれの場面ごとになんらかの目標があることも少なくありません。それを通じて相手になにかをしてもらうとか、そうでなくとも自分の意思を伝えておく、などといったことです。その結果に応じて、うまくいったりいかなかったり、ということはありえます。

たとえば、周囲にひとがいる状態で「今日は寒いなぁ」とひとりごとを言ったとしましょう。周囲のひとは「そうでもないよ」と応じたり、共感を示してくれたり、あるいは窓を閉めてくれたり、「エアコン入れる？」などと質問してくるかもしれません。それぞれの場合で結果的に達成されることはまちまちで、ひとりごとに込めた意図しだいでは、少なくとも主観的には成否が分かれることになるでしょう。

しかし、どのケースでも——話者の意図や相手の反応がどれであれ——「会話」は成立しています。「会話」にはそれがなされること以上の共通目標などないからです。さらにいえば、その場にだれもいなかったり、全員に聴こえていないというような想定においてさえ、自分自身に向けた独話としての「会話」は成立しています。（独話のケースは飲み込みづらいかもしれませんが、「人類の会話」という観点をふまえれば、自分自身のために書きつけた詩や日記などと同じように考えられ

※2　リチャード・ローティ（室井尚・吉岡洋・加藤哲弘・浜日出夫・庁茂訳）『プラグマティズムの帰結』、ちくま学芸文庫、二〇一四年、四五三頁。ただし、ここでの訳文は原文に即して訳出しなおしています。

ると思います。）

さて、こうした「会話」観において、ローティが危険視する「会話が止まる」とはどういうことになるのでしょうか。それは、そもそも恐れるような事態なのでしょうか。というのも、この意味での「人類の会話」が現実に途絶えるということは、いささか想像しづらいからです。もっとも広い意味でコミュニケーション可能な存在者が、この世から完全に消え失せる、といったことでもないかぎり、なんらかの会話は残り続けるでしょうから、この恐れはおおよそ知的存在者の絶滅を心配するのと同程度のものかもしれません。

さらに「会話」には特定の共通目標がないと言った以上、その達成度から測られうるような質的な評価基準に訴えることもできないでしょう。つまり、一定の基準に照らしてある水準を下回ったから「会話」が成り立たなくなったのだ、という線引きをすることはできないはずです。

個別具体の会話のシーンにおいて、それ以上の会話を打ち切らざるをえないような言動がはびこるとして、それでも「話題を変える」といった手立ては残されますし、その場が沈黙のうちに終わったとしても、依然としてそこではなんらかの「会話」が成立していたといえることは、さきほどの独話のケースからも示唆されます。そうなると、「会話を止める」こととは、究極的には——「人類の会話」というレベルでは——それじたいを危険視して対策を講じなければならないような事態ではないのかもしれません。

しかし――ここが重要なところですが――、会話にとって質的な評価基準がないとしても、量的な評価基準はありえます。これには「会話の総量」というような計量的で、おそらくコミュニケーション可能な主体の総数と経過時間に相関するような指標も考えられますが、これは単数形で表現される「人類の会話（the Conversation）」にはあまりふさわしくないでしょう。ここでは、むしろ「会話の豊かさ」というような指標を考えてみるのが有望そうです。

この「会話の豊かさ」は、営まれる会話において登場することばづかい、すなわち語彙や推論の多様性によって評価することができます。そして、こうした多様性が増大することは、「人類の会話」というものの存続可能性の向上にも寄与するはずです。これはちょうど「生物多様性」の確保が「自然環境と生態系の持続可能性」を高めるのと同じような関係になると思います。それはつぎのような理路です。

まず「人類の会話」とは、たしかにそれじたいの完全な消失という事態（たとえるなら「地球上からのあらゆる生物の消滅」という事態）を懸念したり、そのための予防策を提言すべきようなものではなさそうです。しかし、個別具体の会話において、「会話を打ち切る」タイプの話法や言動がはびこることは、それぞれの主題においての自由なことばづかいの発展を阻害します。それはまず直接的には「それ以上は会話できない」主題を増やすからです。

同時に、こうしたタイプの「黙らせる」話法は、「会話」の一部である「議論」のような一種の勝ち負けがある言論シーンにおいて、安易に「勝てる」(と思えてしまう)ことばづかいを提供します。この手の一見すると便利な道具は、語彙や推論という道具をみずから創りだしたり鍛えたりする訓練を受けていない者にとって、その手軽さゆえについ頼ってしまい、ことばをめぐる訓練から遠ざけてしまいがちです。それは、みずから新しいことばづかいを生みだすような創造性を奪い、画一的な「テンプレ」表現ばかりがはびこる状況を招くでしょう。

こうした事態を、特定の「強い」ことばだけが繁殖して、ことばの多様性が損なわれていると評することができます。これはかならずしも「会話」の営みを即座に、かつ直接的に毀損するものではないかもしれません。しかし、生物多様性が損なわれることが、中長期的なスパンにおいて生態系全体にはかりしれない悪影響をもたらすように、人類の会話という営みが存続するうえで、大きなリスク要因になりうるでしょう。

わたしたちから観測しやすいインターネット上の言説において、とりわけ「正しいことば」が関係してくるような社会的・公共的な主題をめぐる「会話」の状況をみれば、少なくとも上記二点のメカニズムによって、どれだけその「豊かさ」が毀損されているかは明らかではないかと思います。

ローティ流の「会話」と「正しいことば」

さて、「正義」や「公正」といった正しいことばは、会話における「事故」を起こしやすい――それが本書の掲げていた課題意識でした。ここまであつかってきた具体的な話題をふまえ、本章で掘り下げた「会話」についての哲学上の理解を背景に置くことで、この課題の解像度をあげたいと思います。

「会話の止め方」として、ここまで具体的に言及した「お手軽なことばづかい」のひとつが、「正義」の相対主義的な用法でした。それは、「正しさ」について話しているさいに、「正義はひとそれぞれだからね」とか「こういう話は、どこまでいっても絶対に相容れないよね」というような安直な相対主義（「どっちもどっちなので、それ以上話すことはない」）を招くものです。

これに対しては、1章において、二〇世紀の政治哲学における泰斗であるジョン・ロールズの「正しいことば」の乗りこなしテクニック――「善」と「正義」との区別――にもとづいた処方箋を提案しました。以下、1章から引用します。

ロールズのテクニックにならうならば、安易に「正義なんて……」というひとには、「そりゃ、それぞれになにがいいと思うかで対立することは当然あるけど、『正義』ってことばはそれと別にとっておこうよ」と返せばよいわけです。

これは「正義」という語彙の使い方には慎重になろう、という程度の呼びかけです。しかし、その効果は絶大です。なぜなら「正義」から区別された「なにをいいと思うか」(個々人のいだく善についての構想)については、いくらでも相対主義をとってかまわないからです。そして、それぞれに自分の構想を私的なエピソードを交えながら語って聴かせあえばよいのです。それこそ本章で掘り下げた語彙でいえば、こうした営みは「会話」の豊かさに直結します。

なお、ここでの「善構想」の具体例として、宗教的信仰をあげることができます。信仰の話は、典型的にセンシティブな主題です。異なる信仰にもとづいた複数の主張や推論は、直接的に対立しえたり、そうでなくとも受け容れられないものであったりします。したがって、よほど信頼できたり、一定のルールが共有されていたりする場でなければ、基本的には開示することのない――および開示すべきではない――話題でしょう。

しかし、そこで営まれるのが合意をめざす「議論」や、どちらがより真理かを決する「討議」ではなく、ただ続けられること以外になんの目標も共有されない「会話」であれば、どうでしょうか。もし、この「会話」のミニマムなルール――会話は打ち切られてはならない――が共有されていると確信できる場であれば、わたしたちは自分にとって重要なことばづかいとして、信仰のようなセンシティブな話題をもちだすことができるかもしれません。

ロールズの「善構想」についての相対主義は、信仰にかかわるような白熱しがちな話題にふれるコミュニケーションにさいして、なにも相互に論難しあったり改宗さえ迫るようなモードでなく、たがいの信念とそのネットワークの相違を知るヒントを得ることもできるただのおしゃべりとして、心理的な距離をとることに資するものでもあるのです。

正しいことばの使い方が「会話」を豊かにする

もちろん、宗教的信仰は私的であると同時に社会的なものでもあります。たとえば衣食住にまつわる原則、あるいは同性婚や人工妊娠中絶といった公共的な主題をめぐって、一定の――さらにはその決定を投票に委ねるか否かといったレベルもふくめた――合意を形成することを目標としたコミュニケーションが必要になることがありえます。このモードにおいて、さきほど「正義」という語彙をとっておいたロールズ流のテクニックが効いてきます。

それぞれに異なる私的な信仰＝善構想をもつ者どうしが、それでも否応なく参画せざるをえない「みなでとりくむ命がけの挑戦（a cooperative venture）」であるところの社会をどう設計するかという公的・政治的次元で登場するのがロールズ流の「正義」用法でした。1章からまた引用すれば以下です。

わたしたちが社会という単位で、どのような構想を「正義」として選び、また合意を形成するのか。そのプロセスじたいが、まさしく政治なのです。

信仰のような「善構想」の次元においてはある種の相対主義を認めることで、おたがいの相違を味わうための「会話」を営んだのと同じメンバーであっても、なんらかの合意形成を目標とするような「議論」をおこなう場面においては、また違うモードがとれるはずです。

とりわけ公共的な議論においては、おたがいに同じく一市民として、自分たちの社会がどうあるべきなのかをめぐって「正義」によりかなう結論をともに探ることができるのではないでしょうか。それこそが、ロールズの「現実主義的なユートピア主義」でした。このとき、以上を背景につぎのことがいえます。

ローティの「会話のルール」からすると、ある意味でより基底的なものはあくまで私的なトピックを盛り込みやすい「会話」の領域です。「会話の豊かさ」は、こうした領域で安易な「論破」や「論難」をはじめとした事故を起こさせないことで、担保されます。前述した「正義」の節制的な用法が物語っているように、「会話の豊かさ」を支え、それを阻害する事故を抑止するには、会話の特殊なバージョンである「議論」を必要とする公的で社会的な「正しさ」の使いどころを制限し、ここぞというところで使うことが求められるのです。

似て非なる複数の語彙とそのさいのモードを適切に使いわけること。それこそが、「正しいことば」の乗りこなしにおけるテクニックということになります。

「論破」ゲームの陥穽《かんせい》

ここで「乗りこなし」の失敗例、すなわち「事故」のケースとしてすでにとりざたしている「論破」について、少し具体的に考えてみましょう。たとえば、インターネット起点だと思われる「論破」のことばづかい、相手を黙らせる論法として「それってあなたの意見ですよね?」という切り返し方があります。

この返し方は、会話において「正しいことば」が登場したさいに、それをたんなる私的な「善の構想」の表明にすぎないですよね、と切り捨てる論法だということができそうです。それによって、3章で整理した「三種類の会話の止め方=事故」のうち、「相対主義」タイプの事故を引き起こそうとする煽り運転に分類することができるでしょう。

おそらくですが、日本語において「正しいことば」を使いづらい要因のひとつは、この手の「切り返し方」がチラついて、理念や価値判断について口にすることをためらってしまうからではないかと思います。

たしかに理念や価値を表現する「正しいことば」を使った主張には、基本的に客観的なエビデンスがありません。ですので、たんなる意見や思い込みではないということを証明することはできないかもしれません。

一般論として、たしかな客観的事実というものが存在するという前提に立てば、「たんなる意見」ではないことが証明できるはずの「事実についてのことばづかい」ですら、今日のようにインターネット上にフェイクニュースがあふれる言論環境では検証がきわめて難しくなっています。ましてや、事実に加えてそれをどうするべきなのかに踏みこんで「正しいことば」を使ったならば、それを「たんなる意見ですよね?」と切り捨てることは、ほとんど万能と言っていい無敵の論法になるでしょう。

ところで、この話法は価値や理念にかかわる「正しいことば」の特徴を突いて、「どっちもどっち」という泥試合にもちこもうとするテクニックですので、じつは「論破」と言いつつも、ルールを備えた議論におけるカギカッコつきの「勝利」である「説得」や「合意」をまっとうにめざすものではなく、ただひたすら「負けない」ことをめざしている戦術です。

ここでの「負け」とは、相手の主張を受けて「自身の信念を改訂する」というかたちで影響を受けることを指すでしょう。そうすると、この論法の使い手は、他者から影響されることを「ダメージを負う」「恥ずかしい」ことだと考えているということになりそうです。社会とかかわりながら多様なことばづかいを学び、自己を変容させることが「敗北」であるというルール設定は、きわめてエクストリームなものだと思いますが、そうした特殊なルールを支持する「観客」がいることもまたたしかなのです。（先取りになりますが、10章ではこうした態度に通底するものを「まちがっていたくない」という怯懦《きょうだ》なのだと指摘します。）

本章で確認しておきたいのは、わたしたちがもっとも広い意味でことばを介しておこなっているコミュニケーションの基底を「会話」と呼ぶならば、それはけっして「勝ち負け」がある、対戦相手を論破するゲームではない、というあたりまえの点です。もちろん、そうした特殊なルールを設定したゲーム（一種のディベート）を双方の合意のうえで営むことは可能です。しかし、それはあまねく幅広いコミュニケーションにおいて、ごくごく例外的なものです。

たとえるなら、ボールという道具を使って営まれるあらゆることのなかのごく一部に、厳格にルールを整備されたプロ競技としてのサッカー（アソシエーション・フットボール）があるようなものです。ボールをあつかうからといって、だれもがサッカーをしなければいけない（あるいはサッカーのルールを覚えて、従うことができなければならない）はずもありません。

サッカーと同様に「論破のゲーム」においても、そのために技術を磨いて優劣を競うプレイヤー（候補）がいて、メディアなどを介してそれを「観戦」する支持者がいることで、いわば興行と市場が成立しているのかもしれません。しかし、だからといってだれもが日常的に論破ゲームをプレーする必要などありませんし、まして厳格にルールを裁定するジャッジもいない場所で草試合をだれかに仕掛けようとすることなど、ただの迷惑以外のなにものでもないでしょう。

本書が依拠するような「正しいことば」の使いわけについてのテクニックは、当然のことながら「論破」のゲームにおけるレギュレーションに対応したものではありませんので、そうした「切り返し」に対するさらなる返し手を用意するようなものではありません。ただ、ここまでみてきたように、こうしたゲームに興じることが、いかに奇妙な「ルール」を採用してしまうことになるかについて、確認するための道具立てを提供することはできたのではないでしょうか。

「正しいことば」を使いわけるために

さて、本章での話題展開からすると、「正義」のような語彙が、もともとは異なるニュアンスで受けとられるようになってきたかもしれません。3章で日本の「道徳」教育を主題として論じたように、「正義」のようなことばは、「道徳」や「思いやり」といったものとは距離をとり、区別されるべきものです。そして、本章で新たに紹介した「宗教的信仰」なども同様に「正義」のようなことばから距離をとり、区別されるべきものに加わってきます。

ここまで読まれた時点で、まだ「宗教的信仰を私的なものとして、公共的な正義から区別する」ということは、少なくとも直観的に受け入れがたかったり、現実的に難しかったりするのではないか、と感じられているとすると、それはまったく正当です。というのも、現在も多くの国においてそうであるように、宗教的なことばづかいは、文化や習慣、さまざまな社会規範と関連しあっており、それじたいがかなり公共的なものであると思われるだろうからです。

たとえばイスラム圏は典型的ですが、宗教的規範が公的な「法」として流通している国は数多くあるでしょう。本書でたびたび参照しているアメリカ合衆国でも、たとえば大統領就任にさいしての宣誓には聖書をもちいます。日本においては宗教性はなかなか意識されづらいかもしれませんが、明治時代から整備された国家神道のなごりとしての「家」制度をはじめ、宗教的規範が社会においてまだ機能していることを発見することは難しくないはずです。

それでも、宗教的信仰はあくまで私的なものとして考えるべきだとすれば、それはなぜなのでしょうか。こうした疑問に対して、本章だけでは、まだじゅうぶんに説得的な議論は展開できていません。

そういうわけで、ここからは「正義」や「公正」といった公的・政治的な「正しいことば」を使いこなすには、なにが求められるのかを検討していきたいと思います。それを通じて、「自由」や「寛容」といった、これらもまたわたしたちの社会にとって重要な「正しいことば」との関連や、それらの使いこなしについてもみていくことになります。

さっそく次章でまず論じたいのは——現時点では違和感があると思いますが——、わたしたちが「正しいことば」をより使いこなし、それを通じてより正しくあるためには、ある面において積極的な無関心さが求められる、ということです。

6章　「関心」をもつのはいいことか

積極的無関心のすすめ

前章では、あらためて本書が依拠しているロールズ流の「正しいことば」の乗りこなしテクニックである「正義」と「善」の区別を再確認しました。とくに日本語でありがちな「それぞれに正義がある」とか、「正義の反対は悪ではなく、別の正義」といった安っぽい相対主義を標榜する紋切型のことばづかいはやめておこう。そういう場合には「正義」ではなく、たんに「なにをよいと思うか」、つまり「善についての考え方（善構想）」と言えばよい、というのが最重要ポイントでした。

それだけの工夫で、「なにをいいと思うかは、それぞれに違う」とか「おのおのがいいと思うことは、ときに対立するよね」といった、とても穏当で、むしろ会話の出発地点になるようなことばづかいになります。それによって「正義」ということばは、この出発地点からはじめて、ときに対立しうるそれぞれの利害を調整し、バランスをとりながら、それでもいっしょに社会を営みつづけるための政治的な理念のことばとして使うことができるようになるのでした。

これは、ことばを言い換えようというだけの提案ではありません。個々人のいだく「善」の構想、とくに容易には変更できないような価値観に属する「道徳」や「宗教的信仰」といったものから「正義」を切り離そう、という考え方に関する提案です。そうすることによって、「正義」はむしろ個々人の善の追求に一定の自由さを確保してくれるものとなります。これは日本語での「正義」ということばの使いづらさ——ひとによっては息苦しさ——を克服することにもつながるでしょう。

本章では、こうした正しいことばの乗りこなし方を身につけるために求められる、ある態度について考えてみたいと思います。前章で予告したように、それは——意外に思われるかもしれませんが——つい生じてしまう他人に対する「利害関心（interest）」にブレーキをかけ、積極的に無関心であろうとすることです。

「関心」と「interest」

一般に、他者や社会に「関心をもつ」ことはよいこととされています。とりわけ社会的な問題について教科書的にいえば、まず関心をもち、正しい知識を身につけ、そのうえで自分はなにをすべきかを考えることが求められます。興味や関心こそが、かかわるきっかけになるわけです。そう考えると、社会正義を実現するためにも「関心」は必須の条件である、というのはもっともな主張に思えます。わたしもこの主張じたいは否定しません。ただし、ここでもことばを吟味し、適切に使いわける必要があります。

ここでは「関心」ということばがはたす意味のうち、なにかを好んで考える対象とする（興味をもつ、おもしろがる）ことと、自分と無関係ではないと思うこととを区別したいと思います。前者の意味でなにかに興味をもつことは、たしかに物事を深く知るための入口です。この意味での「関心」をもつ対象になるのは、他人や社会的な事象に限りません。ただし、とりわけ他人がからむ対象については、後者の意味がともなってきます。こちらの用法について、少し掘り下げて考えてみましょう。

具体的に、「関心をもった」という表現を「他人事《ひとごと》ではなくなった」と言い換えられる場合を考えてみましょう。この換言が成り立つのは、関心の対象となるものがなんらかのかたちで自身や他者に関係してくるとき——たとえば社会問題や事件など——です。他方、たとえば宇宙の構造だとか、古代の化石だとかいったものに関心を寄せる場合には、こうした言い換えはあまりなじまないでしょう。

そういうわけで、社会的なものについて「関心をもつ」とは、「わがこと（自分ゴト）のように考える」ことを意味しそうです。じっさい、こどもや生徒に対して社会問題や歴史的な事件について教える親や教師は、「関心をもとう」という呼びかけと同時に「あなたにとっても他人事ではないんだよ」という決まり文句を発するでしょう。

おそらくですが、こうしたことばづかいには、3章で検討した日本における道徳教育もかかわってしまっているように思います。つまり、相手に親身になって、わがことのように心を寄せるのが大切だ、という教育です。日本で初等教育を受けたならば、小学校において「相手の気持ちになって考えよう」という標語を聞かなかったひとはいないのではないでしょうか。

もちろん、こうした共感能力をはぐくむ教育は重要なものです。ただ、例によって原理的には達成不可能なこと――相手の気持ちになること――を個人の努力として求めているという点は指摘しておいてもよいと思います。その結果、「関心をもとう」というフレーズがたんなる建前にすぎない、空虚な常套句になってしまっている場面は少なくないはずです。

「関心」の道徳的なニュアンスや気持ちの側面が強調されることによって、あいまいになりがちなのが「自分ゴト」にすることの内実です。「自分と無関係ではない」というのは、けっして共感や同情をいだくことと完全に一致するわけではありません。たとえば気候変動について自分ゴトとして考えるとは、まっさきにその影響をこうむっている地域の当事者に同情したり共感したりするだけではない、別のことでしょう。

少なくとも英語の場合、それがなにかは明確です。英語の「interest」は「関心」とともに「利害、利益」という意味でももちいられます。つまり、なにかに関心をもつことは「自分の利害とする」

ことでもあり、いわば「利害関心」なのです。なにかを「自分ゴトにする」とは、自分の損得とつながるものとして理解することである。だからこそ利害当事者として能動的にかかわろうと思えるわけです。

気候変動に関心をもち、自分ゴトとして考えることは、たんに被害への共感や同情といった気持ちの問題ではなく、自分自身の利害に直結した問題としてあつかうことです。この意味で、関心とは利害についてのものです。日本語の「関心」のもつ情緒的ニュアンスからすると、いささか即物的かもしれませんが、だからこそ明快でわかりやすいことばづかいではあります。

以下では、この「自分ゴトにする」こと、すなわち自分自身の利害に直結した問題としてあつかうという意味での「関心」の功罪について考えてみたいと思います。

「関心」をかき立てる想像力

利害への「関心」が成立するためには、共感能力はかならずしも求められません。他者が関連する社会的な事柄について、それが自分の利害（損得）ともなんらかのかたちでかかわっているものとして理解するには、一定の知識はもちろんのこと、それに加えて一種の想像力が求められます。ここでの想像力とは、日常的な生活のなかではリアリティがとぼしく、なかなか自分ゴトにならない社会問題や他者の存在について、自分の体験と関連づけながら理解し、その解像度はさておき、なんらかひとつの像を描くような力のことです。わたしたちはこうした「社会を理解したい」というモチベーションを大なり小なりもっています。第二次世界大戦後のアメリカ合衆国を代表する社会学者C・ライト・ミルズ（一九一六－一九六二）は、こうしたモチベーションのことを「社会学的想像力」と呼びました。ミルズはつぎのように説明しています。

> 人々が必要としているもの、あるいは必要だと感じているものとは、一方で、世界でいま何が起こっているのかを、他方で、彼ら自身のなかで何が起こりうるのかを、わかりやすく概観できるように情報を使いこなし、判断力を磨く手助けをしてくれるような思考力である。こうした力こそが〔…〕社会学的想像力とでも呼ぶべきものである。〔…〕
> 社会学的想像力を手にした人は、より大局的な歴史的場面を、個人ひとりひとりの内的な精神生活や外的な職業経歴にとってそれがどのような意味をもっているのか考えることを通じて、理解することができる。〔…〕こうした作業を行うことにより、ひとりひとりの個人が抱える不安は、私的問題としてはっきりと焦点が合わせられるようになり、公衆の無関心も、公的問題に対する積極的な関与へと変わっていくことになる。※1

ここでミルズは、戦後アメリカ社会を典型とする大衆社会、情報社会において日々あふれんばかりに報道される種々の「事実」について、それらを自分ゴト化するための力が、社会学的想像力なのだと述べています。さらに、なぜこうした力が必要なのかについても示唆しています。それは引用の最後にあるように、わたしたちが自分の問題を通じて公共的な関心をもつためだというのです。

わたしたちの社会はとても複雑です。高度に発達した科学技術や文字どおりグローバル規模の資本主義経済を背景とした数限りない「社会の問題」を理解するのは、ほとんど不可能でしょう。それらに対峙するための政策を決定するプロセスじたいもあまりに複雑で、わたしたち個々人ができることなどなにもないように思えてしまいます。なにより数多あるメディアを介して流通する情報はあまりに多く、とても個々人が処理できるようなものではありません。

そうした複雑な社会で生きていると、どうしても自分自身の内面や、日々の糧を得るための職業生活といった目のまえの生活にこもってしまい、それと「社会」をつなげて考える想像力は失われ、無関心になりがちです。こうした社会において関心を喚起するためには、ミルズが強調しているように「自分の利害」――それこそ「不安」のような精神的なものまでふくめた損得――につながっ

※1　C・ライト・ミルズ著（伊奈正人・中村好孝訳）『社会学的想像力』、ちくま学芸文庫、二〇一七年、一九頁。強調の傍点は引用にさいして加えたものです。

ているものとして、提起することが有効です。こうした効果は、「自分ゴト化」としての関心のポジティブな側面ともいえるでしょう。

わたしたちの日常もまた大局的な歴史の一部であり、世界とつながっているという感覚をはぐくむための道具立てを提供するのが社会科学という学問領域である――ミルズのこうした自負をうかがえるのが「社会学的想像力」というフレーズです。じっさいに社会学という学問分野がひとびとを惹きつけたり、ときに反発を引き起こしたりする理由の一端を理解できる特徴づけではないかと思います。

社会学的想像力の副作用、「過剰な」関心

他方、複雑な社会的事象と自分自身の利害をむすびつけ、自分ゴト化させる想像力には、ネガティブな副作用もあります。どんな問題であれ、自分自身の利害に関係しているとして――日本語特有の表現ですが――「当事者」としてふるまうことは、場合によっては危険なことでもあります。典型的には「陰謀論」を考えてみればよいでしょう。

陰謀論は、ちょうど二〇二〇年のアメリカ大統領選挙とその後の政権移譲の過程であらためて現代における問題として世界的に注目されました。それは、社会的なできごとの背景には何者かの隠

された意思があり、自分たちはなんらかの被害を受けているというパターンをとる社会の見方――想像力の発露――です。一部のトランプ支持者のそればかりでなく、ナチスドイツが掲げたユダヤ陰謀論や、日本でもかつてはさかんに流通した「在日特権」のような例も同じパターンをとっています。※2

これらはいずれも、ミルズが述べたように社会のなかで生きていて個人として「不安」を感じるひとびとに向けて、その原因としての「陰謀」――とその陰謀をたくらむ加害者――の存在を提示することで、社会的なできごとを自分ゴト化させるものです。とりわけ被害の側面での「利害関心」をトリガーとして自分ゴト化をうながすことの有効性とそれゆえの危険性は、これらの陰謀論のケースからも明らかだろうと思います。

こうした被害当事者としてのことばづかいがもちうる無敗の力については、4章でもトランプ現象の事例を通じて検討しました。ソーシャルメディアを介して、気軽にこうした強力なことばづか

※2 ただ「陰謀論」型の仮説は、かならずしもすべてが荒唐無稽な妄想であるわけではありません。じっさいにジャーナリズムが暴いた「陰謀」も枚挙にいとまがありません。アメリカではウォーターゲート事件、日本ではリクルート事件のような官製談合事件はその典型です。陰謀論の諸相については『現代思想』二〇二一年五月号(青土社)でも特集されています。わたしも陰謀論のとらえ方やそのさいに採用している言語観について寄稿しているので、関心のある方は参照してください。

いをふりかざし、またそれを見聞きすることができる環境では、その魅力はいやますばかりでしょう。

ミルズが念頭に置いていた課題である「大衆の無関心」への処方箋として、個々人の利害関心に訴えるタイプの「想像力」を称揚することは、少なくとも当時のアメリカ社会においては理にかなったことでした。しかし、現在のようなメディア環境においては、その効きすぎがもたらす課題にも目を向けるべきです。つまり、このようなありとあらゆる社会的な問題を安易に自分ゴト化し、利害当事者としてふるまいだすことであり、それがむしろ公共的な社会の安定性をゆるがしているという事態です。

たとえば、いわゆる同性婚を典型とするようなマイノリティへの差別の撤廃という政治主題をめぐることばづかいを考えてみます。法的に保障される権利というものは、少なくとも直接的にはだれかが得るとだれかが失うという構造のものではありません。たいていの政治的イシューは、申し立てをする者にとってこそ切実に利害にかかわりますが、それ以外のほとんどのひとが、少なくとも直接的に利害を脅かされたりするものではないはずです。こうしたトピックにさえ、マジョリティ側が自分たちの利害と短絡させ、危害を受ける当事者かのようなふるまいができてしまうことを、わたしたちは頻繁に目にしています。

また、こうしたマイノリティによる申し立てについて、自分たちマジョリティが「理解」するに足るだけの「説明」をしてみせろと求める態度もまた、こうした過剰な利害関心の発露の一形態でしょう。利害当事者として、説明責任を求める権利があるという認識に裏打ちされた態度だからです。

ソーシャルメディアが普及し、見聞きした社会的なできごとや他者の言説に対してだれもが自分の関心を自由に発信することができる言説環境においては、わたしたちはむしろ暴走しがちな「想像力」に対して積極的にブレーキをかけ、自分の利害関心が過度に反応していないかを気にかけるべきでしょう。

「無関心」としての「寛容」

これまでたびたび「正義」や「公正」の乗りこなしテクニックを参照しているロールズですが、彼自身も「無関心（disinterest）」を積極的に評価します。本章の冒頭でも再確認したように、ロールズ流テクニックのポイントは、公共的な「正義」を個々人の「善」から区別することでした。この区別と「無関心」がかかわってくるのです。くわしくはまた次章以降に検討していきますが、ひとまず要点を押さえておきたいと思います。

まず、個々人がおのおの別様にいだきうる「善（よいこと）」を追求する原動力となるのが「利害関心（interest）」です。それぞれが、自分自身の関心をもっています。ロールズは「公正としての正義」が合意されうる理想的な状況において満たされるべきいくつかの条件を検討しますが、その条件のひとつに挙げられるのが、関係者がみな、「相互に利害関心をもたない（mutual disinterested）」ことです。つまり自分の善構想についての関心はあっても、ほかのひとがどんな利害関心を有しているか——ひいてはどんなことを「善」としているか——については関心をもっていない、という条件です。

「他者の利害関心への無関心」というのは、自分以外の人はどんなことをよしとして——つまり、どんな善構想をいだいて——おり、どんな利害をもってなにを追求しているのかについて、自分の利害関心をもたないということです。さきほどまでのことばづかいでいうと、ほかのひとの利害関心を「自分ゴト化」せず、他人事のままでいることを指します。

これはまずは、自分以外のひとの利害関心を気にかけない、という一見するとエゴイスティックな態度です。しかし同時に、この態度は自分以外のひとに対して自分とまったく同じ利害関心——ひいては善構想——をもたせようだとか、あるいはもとから同じ利害をもっていることを前提として、みなにとってのよいことを追求したりといったことも、いっさいしないのです。こうした態度のポイントは、だれかの利害関心の追求を、自分の利害と直結させないことです。つまり、だれかがなにかをすることを、自身の損得という観点から評価しない、ということです。

「無関心」にも「関心」と同様、ポジとネガの両面がありますが、ロールズが強調するのはそのポジティブな側面です。それは、ロールズの社会観に由来します。そもそもわたしたちがともに営んでいる「命がけの挑戦」であるところの社会では、それぞれが異なる善の構想をいだき、したがって異なる利害関心をもつのが大前提でした。そうした社会をともに営むうえで、周囲のひとの利害関心に配慮すればうまくいくのでしょうか。そんなことはない、というのがロールズの見解です。彼自身はつぎのように述べています。

> 公正としての正義のひとつの特徴は、〔それに合意しうる〕初期状況における関係者たちがそれぞれ合理的であり、かつ相互に利害関心をもたないということである。それは関係する個々人がみな〔…〕特定の利害関心しかもたないエゴイストであることを意味しない。全員が、ほかのひとの利害関心については関心をもたないとみなされている。〔というのも〕異なる複数の宗教が掲げる目的が対立しうるように、個々人が心からいだいている目的であってもそれらは対立すると想定されているのだ。※3

※3　ロールズ『正義論 改訂版』三節より。邦訳二〇頁。日本語訳版（川本隆史・福間聡・神島裕子訳、紀伊国屋書店）も参照しつつ、原文から訳出しなおしています。〔〕での補足と強調の傍点はわたしが付与したものです。

ロールズが述べるように、わたしたちの社会には――それこそ宗教対立を典型として――各自の善構想にもとづく利害関心どうしが対立し、一方の関心追求が他方にとって害とみなされる状況がままあります。そうした社会で、だれかの利害関心に対して関心をもつことは、ただ自分と他者の関心の違いを理解するということにとどまらず、他者の利害関心を自身の利害との関係から考えることになりがちです。さらに付言すれば、対立しうる善構想を支持する複数のグループのあいだにも多数派と少数派があるはずで、多数派の利益のために少数派の善の追求を抑圧するという構図は、歴史上いつもくり返されてきたことでした。

こうした社会をうまく安定的に営んでいくためには、たがいの利害関心に対して積極的に無関心であることが求められます。それは表現を変えると寛容であることです。ここでの「寛容」とは、思いやりとか配慮といったものではありません。さきほどの引用の最後に「宗教」がひきあいに出されているように、ここでふまえられているのは、ヨーロッパにおけるカトリック対プロテスタントという宗教対立の歴史です。どちらもキリスト教であり、ほとんど重なるがゆえにこそ、たがいの善構想の差異の部分に無関心ではいられなかったことに由来する、きわめて凄惨な歴史からの実践的な知恵である「宗教的寛容」こそ、ロールズが重視する「無関心」の原点なのです。

「関心」を理解し、乗りこなす

それこそ宗教的信仰を筆頭として、各人はそれぞれに「善の構想」をいだき、それは生活の隅々にいきづいています。それらは相互に衝突することもあれば、そこまでではなくとも他人のふるまいに反感をいだいたりすることはままあるでしょう。重要な価値観や習慣であればあるほど、そうした「譲れない」「看過できない」度合いは増していきます。それが社会におけるさまざまな「力」の勾配とあわさったとき、どういった悲惨な帰結をひきおこすのかは、歴史が物語っていることです。

こうした歴史をふまえて析出されているのが、「無関心」としての寛容です。「寛容」もまた、日本語ではいささか使いづらいことばかもしれません。それには「不寛容に対しての寛容」というような言いまわしをもって差別的言説を擁護したり、あるいは対立陣営を「論破」したと称するような話法を見聞きする機会が多いことも一因でしょう。

こうしたことばづかいについては、次章であらためてとりあげますが、「無関心としての寛容」は、この種の「不寛容な言説も認めるべきだ」という声高な主張とは一線を画したものです。というのもここでの寛容の要請とは、おたがいに利害関心をもたないことですから、認めたり、理解を示したりすることとはまったく異なります。たいていの不寛容な言説は、他者の利害関心を自分の利害関心に照らして抑圧するという構図をとりますので、この時点でたしなめられる対象であれ、そのたしなめじたいは利害関心の発露ではありません。

まとめましょう。「寛容」とは、思いやりや配慮などではなく、自身の利害関心に適度にブレーキをかけ、他者の利害関心の追求に首をつっこんで、それを自分ゴト化しないように心がけることです。さらにいえば、それは自身の利害関心にもとづいた想像力をはばたかせてしまい、あらゆるものを敵か味方かに二分してしまうような習慣を見直すことです。

だれかの利害関心の追求について、みずからの利害関心をもつ――自分ゴト化する――とは、ポジティブな面に目を向ければ、仲間を探すことであり、また仲間うちで折りあえる地点を模索することです。しかしそれは同時に、だれかの基本的な価値観や習慣に立ち入り、それを自身の利害という観点から評価することでもあります。また、その結果として「仲間でないひと」をつくることになるのでした。

重要なのは、公正な社会を構想するということは、「気のあう仲間」をつくってその輪を広げることとは根本的に異なる、ということです。公正な社会を構想することは、むしろ「仲間でも敵でもないひと」たちどうしが、どうやってともに生きていけるかを考えることでしょう。だからこそ、わたしたちがどうしてもいだいてしまう「関心」のネガティブな面をも理解し、それを乗りこなしていくことが求められるのです。

7章　「自由」を大切に使う

正しいことばとしての「自由」

ここまで「正義」「公正」に加え、前章では関心に注目することを通じて「寛容」のような「正しいことば」について、その乗りこなし方を考えてきました。それらに共通するポイントは、こうしたことばがなにと区別され、なにと言い換えられるようなものなのかを確認してみることによって、なんとなく使っている（あるいはなんとなく使いづらい）ことばの用法を見直すことでした。

そうした乗りこなしテクニックにおいて代表的なのが、二〇世紀のリベラリズムを代表する政治哲学者ジョン・ロールズによる「正義」と「善（よいこと）」の区別でした。わたしたちおのおのがなにをよいと思うのか（善の構想）と、そうした多様でときに対立する複数の「善」の構想が共存しうるように社会を営むための理念としての「正義」とを区別して、ここでの「正義」ということばを大切に使おう、という提案です。

本章では、前段落でさらっと使った「正しいことば」のひとつに焦点を当てながら、このテクニックをさらに掘り下げたいと思います。すなわち「自由主義（liberalism《リベラリズム》）」であり、そこで掲げられている「自由」について、です。このことばもまた「なんとなく使っている（あるいはなんとなく使いづらい）」正しいことばのひとつではないでしょうか。

いま提示した「リベラリズム」、またはその支持者層を指したり、形容詞でも運用される「リベラル」ということばは、現在の日本語ではカタカナでそのままもちいられることが珍しくありません。しかし、その意味するところは、多くのカタカナ語がそうであるように、ややあいまいなのではないかと思います。

たとえば具体的にどんな言い換えができるかと考えてみると、「進歩的」で「保守的ではない」とか、「左派」でありつつも「社会主義や共産主義ではない」とか、わかるようでわからないことばです。学術的な定義としても、異論ないかたちで端的に述べることは難しいのですが、しかしその立場が大切にする中核的な価値――正しいことば――の少なくともひとつが「自由」であることはまずまちがいないでしょう。

そこで、ひとまず「自由主義《リベラリズム》」とは、文字どおり「自由」という価値を重んじる政治思想（主義）だとしましょう。すると問題になるのは、ここでの「自由」とはなんだろうか、ということです。序章において大きな方針について書きましたが、本書ではこうした課題について、「ほんとうの〈自由〉とはなにか？」といった問題の立て方をしません。立てるべきなのは、わたしたちは「自由」

ということばをどんなふうに使っているだろうか、そしてどう使うのがうまいやり方だろうか、という問いです。

こうした問いにとりくむさいに重要なのは、それがほかのどんなことばと言い換えられるのかや、またどんなことばと区別されるのか、といった具体的な用法に着目することでした。そういった観点からすると、「自由」ということばじたいは、日常的にも使用例がかなり多いのですが、あまりにさまざまな場面でもちいられるため、逆にどういう意味で使っているのかを深く考える機会が少ないタイプの「正しいことば」だと指摘することができるでしょう。

そこで例によって、こうした価値や概念にかかわることばを使いこなすプロフェッショナルであるところの哲学者、それもリベラリズムを確立した人物のひとりといえる政治哲学者のテクニックを参照しながら検討してみたいと思います。本章で「自由」の乗りこなしをめぐっておもに参照するのは、アイザイア・バーリン（一九〇九－一九九七）です。

現実政治と対峙する哲学者バーリン

バーリンは二〇世紀初頭に東欧のラトヴィアで生まれ、イギリスのオックスフォード大学で学び、以降も長らく同大学で教鞭をとった政治哲学者です。本書の頻出哲学者と時間軸を比較すると、一九二一年生まれのロールズより——東アジアのことばづかいでいうと——ちょうどひとまわり年長世代に相当します。ちなみにロールズは一九五〇年代初頭にオックスフォード大学に留学しており、その時期にバーリンからも直接的な影響を受けています。

バーリンのキャリアで目を引くのは、当代随一の政治哲学者でありながら、第二次世界大戦前後の時期にイギリス情報省において戦時勤務に就いており、アメリカおよびロシアの大使館に派遣された情報官として活躍したことでしょう。戦中から戦後まもなく、冷戦へと向かう下地が形成されようとする時期に、その後の国際政治の主役となる二大大国の政情を分析し、めざましい功績をあげたことを称えられ、のちに叙勲されてもいます。

こうした経歴が物語るように、バーリンには学者然とした理論家というステレオタイプが当てはまりません。かといって、実務家としての業績によって大学にポストを得た人物でもありません。彼は、政治哲学が洗練させてきたことばづかいの切れ味を現実政治の渦中において遺憾なく発揮することによって活躍し、それと同時に、現実政治の複雑さや時代の課題認識を理論にフィードバックしていくという双方向的な哲学者でした。

こうしたバーリンの哲学上のスタンスをよく表しているのが、つぎのような彼自身のことばです。

われわれが日常的経験において遭遇する世界は、いずれもひとしく究極的であるような諸目的――そしてそのあるものを実現すれば不可避的にほかのものを犠牲にせざるをえないような諸目的――のあいだでの選択を迫られている世界である。※1

ここでの「究極的であるような諸目的」とは、政治哲学において主題となるさまざまな理念――「正義」「寛容」「平等」そして「自由」といった正しいことばたち――のことです。こうした理念どうしは、理論的な探究を通じて単一のビジョンのもとで調和させられるようなものではなく、あくまで「あるものを実現すれば〔…〕ほかのものを犠牲にせざるをえない」という緊張関係にあり、これらが相互に衝突するのが現実世界にほかならない――こうしたシビアな認識が、バーリンの基本的スタンスです。

これは、たんに「現実の政治は理論どおりにはいかない」というだけの安っぽい現実主義ではありません。むしろ理念としての諸価値は、それらどうしが理論的にも対立・衝突するというのが理論家としてのバーリンの診断です。そうした理念どうしの矛盾や葛藤を、理論のレベルで明らかにすることが政治哲学をはじめとした専門分野の営みであり、その貢献も受けながら具体的な場面ご

※1 アイザィア・バーリン(小川晃一・小池銈・福田歓一・生松敬三訳)『自由論 新装版』、みすず書房、二〇一八年、三八二-三八三頁。邦訳を基本的にもちいつつ、原文を参照して一部の訳を変更しています。また強調の傍点はわたしが付与したものです。以下も同様です。

とに理念間のバランスをとりつつ試行錯誤するのが現実政治の営みだというのです。

わたしたちは2章で、バーリンの後続世代であるロールズが政治哲学の使命を「現実主義的にユートピア的なもの」を探ることだと述べていたことを確認しました。それと対比すると、同じような使命感をいだきつつも「現実主義」の側をより強調しているのがバーリンだということができるでしょう。理論的な探究もまた、具体的な現実政治における問題とそこでの政治的ふるまいを丹念にみていく必要があるのです。

バーリン自身のことばでは、つぎのように表現されています。

> 政治のことば・観念・行動は、それを使用するひとたちを対立させている問題の文脈のなかにおいてでなくては理解できない。したがって、われわれ自身の世界における支配的な問題を理解しなければ、自分たちの態度や活動自体がわれわれには理解できないままになってしまうだろう。※2

政治的な基本理念はけっして調和せず、そのバランスをとることが理論・実践両面での課題であるというバーリンの基本的洞察は、「自由」という基本的価値の検討においてもつらぬかれています。

たとえばごく一般論として、だれか個人や特定の集団にとっての「自由」は、また別の個人や集団の「自由」を脅かしうるものです。

　では、そうした複数の対立さえしうる「自由」は、それぞれどのようなものであり、それらのあいだにはどんな関係があり、そしてなによりわたしたちはどのような意味における「自由」を大切にしているのでしょうか。こうした一連の問いに対して、「自由」にかかわることばづかいを見直し、整理することによって答える手段を提供しようというのが、バーリンの自由論です。

バーリンが区別する二種類の自由

　これまでもたびたびみてきたように、価値や概念にかかわるややこしいことばを乗りこなすためのテクニックの定跡は、それをしっかり区別することでした。こうした抽象的な理念のことばの場合、同じ表現なのに、じつはまるで違うことを言わんとしているということがままあります。このことは「正しいことば」をともなう会話において「事故」が生じやすい原因のひとつでしょう。同じことばなのに、各人それぞれが違った意味あいでもちいているために、会話がすれちがったり、相容れなかったりするわけです。

※2　前掲書三〇二頁。

バーリンは、わたしたちが頻繁に言及する価値である「自由」には、政治的に重要な意味が少なくとも二種類あるのだと述べます。二種類とは「消極的な（negative）」自由と「積極的な（positive）」自由です。バーリン自身の定義をみていきましょう。

まず「消極的自由」とは、以下のように導入されます。

自由ということば〔…〕の政治的な意味の第一は――わたしはこれを「消極的な」意味と名づけるのだが――、つぎのような問いに対する答えのなかにふくまれているものである。つまり、「主体――個人あるいは集団――が、いかなる他者からの干渉もうけずに自分のしたいことをし、自分のありたいものであることを放っておいてもらえる、あるいは放っておいてもらえるべき範囲はどのようなものであるのか」という問いである。※3

日本語で「消極的」というと後ろ向きなニュアンスがありますが、だれかに干渉されない、なにかを強制されない自由というように、否定形で表現しやすい自由といってもよいでしょう。引用中にあるように、程度の差こそあれど、いわば――肯定形で表現すれば――「放っておいてもらえる」自由ということができます。

それに対して、「積極的自由」はつぎのように導入されます。

第二の意味——わたしはこれを「積極的な」意味と名づける——は、つぎのような問いに対する答えのなかにふくまれているものである。つまり、「あるひとが、ほかでもなくこうすることを、ほかでもなくこうあることを決定することができるようなコントロールや干渉の根拠とはなんであるか、またそれであるのか」という問いである。※同前

文章が堅いですが、こちらの「積極的自由」は、個人や集団のあり方や行動を自分（たち）自身で決定するさいに認められるような自由です。ほかの選択肢ではなく、ある方針を選ぶとき、わたしたちはなにかをする自由がある、というように肯定形で表現します。これは個人のレベルにおいては「自律的」とされるものですし、国家を典型として集団のレベルでも自分たちがどうあるべきか、どうすべきかを自分たち自身で決定する自由がある、ということになっています。

以上のように、「自由」ということばには、少なくとも二種類の用法ないし表現の仕方があるということは、さしあたり受け入れられそうです。たしかに、なんらかの強制力から自由であることと、なんらかの対象に向かって自由であることとは、もちろん相互に関係しあってはいますが、別のタ

※3　前掲書二〇三－二〇四頁。

イプの「自由」でしょう。

これを具体的に考えるうえでちょうどよいサンプルとして、日本国憲法における「自由」の使用例をみてみたいと思います。

「信教の自由」から考えるバーリンの自由論

憲法が明示的に保証する「自由」の対象リストには、集会・結社・言論・出版などさまざまなものがあります。戦後に制定された日本国憲法は、アメリカ合衆国憲法をはじめとした西側諸国の憲法にルーツをもっていますが、こうした西欧近代の伝統におけるさまざまな「自由」の源流を歴史的にさかのぼると、それは「信教（宗教・信仰）の自由」に行き当たるとよくいわれます。※4 血なまぐさい宗教対立の時代を経て、ようやく確立された「信教の自由」から派生して、それをじっさいに担保するものとして集会・結社・言論・出版などの自由が整備されたわけです。

個々人や集団にとって、ときにもっとも重要でありうる内心の信仰とそれにもとづいた諸活動にかかわる「自由」をどう確保し、また認めるのか。それがリベラリズムの歴史における中心的アジェンダでした。この流れを汲んでいる日本国憲法の場合、第二〇条において以下の条文が定められています。

第二〇条（信教の自由）

一．信教の自由は、何人に対してもこれを保障する。いかなる宗教団体も、国から特権を受け、又は政治上の権力を行使してはならない。

二．何人も、宗教上の行為、祝典、儀式又は行事に参加することを強制されない。

三．国及びその機関は、宗教教育その他いかなる宗教的活動もしてはならない。

漠然と「信教の自由」というと、つい「どんな宗教でも信じることができる自由が、だれもにある」と積極的自由の意味で理解しがちです。つまり「内心の自由」のようなものを考えてしまいそうです。そうした連想からすると、じっさいには第一項の一文目以外のすべての条文が否定形で記載されていることは意外かもしれません。

第二項ではっきり書かれているように、「信教の自由」とは、内心がどうあれ、じっさいの行動としてなんらかの宗教的な強制を受けない自由として保証されています。そして第三項では、こうした宗教的な強制をふりかざす力をもち、歴史上じっさいにふりかざしてきた強力な主体として国家

※4　たとえば以下を参照。森本あんり『不寛容論――アメリカが生んだ「共存」の哲学』、新潮選書、二〇二〇年、二一三頁。

を名指しして、宗教にかかわる政策決定の自由を制限しているのです。

ここからわかるのは、日本国憲法が定める「信教の自由」とは――バーリンの区別にのっとれば――、個々人の消極的自由を担保するために、国家権力が行使しうる積極的自由を抑制するという建てつけになっているということです。この憲法においてわたしたちが大切にしているのは、なにかを信じるという個人的な営みについて、信じないという選択肢もふくめて、とにかく放っておいてもらえる自由なのです。

もちろん「信教の自由」は積極的な意味で解釈することもできますが、ここでみたようにそのための前提として消極的自由を守ることが求められます。バーリンもまた二種類の自由のうち、政治的な理念のことばとしては消極的自由を重視します。

自由ということばのいかなる解釈においても、わたしが「消極的」自由と名づけたものの最小限は、たとえ例外としてでもふくまれねばならない。〔自由というものが成立するには〕個々人の願望が挫かれることのない領域がなくてはならないのである。※5

自由の消極的意味が大切である理由は、日本国憲法における「信教の自由」の建てつけにおける警戒の動機とおおよそ同じです。つまり、市民が主権をもって制定する社会（国家）単位での積極的自由――政治的な意思決定プロセスさえ経れば、たとえば宗教的多数派の支持によって特定の宗教を国教として自由に選ぶことができる――が行使されてしまえば、とりわけ宗教的少数派の市民ひとりひとりにとって切実な、放っておいてもらえる（消極的）自由は、いつでもたやすく破壊されるからにほかなりません。

自由と寛容／不寛容

とくに「信教の自由」に着目してみると、ちょうど前章で論じた「無関心としての寛容」とのつながりもみえてきます。前章からの議論を深めるために、ここでロールズ流の「正しいことば」づかいのテクニック――つまり「正義」と「善」の区別――を採用しながら、あらためて話を整理してみましょう。

たびたび確認してきたように、ロールズにおいて信教すなわち宗教的信仰は、個々人がいだく「善」の構想の代表例でした。わたしたちは――かならずしも宗教的な信仰でなくとも――自身の善構想を自由にいだくことができ、その利害関心にもとづいてふるまうことができます。こうした自

※5　バーリン『自由論 新装版』、三七一頁。

身の善構想を選びとり、それにもとづいてふるまうことはバーリン流にいえば、積極的な意味における自由の範疇です。

ただ、これまた再三確認してきたように、こうした各自が自由にいだく複数の善構想とそれに根ざしたおのおの利害関心は、相互に鋭く対立しうるものです。したがって、そうした他者どうしが利害を調整しあいながら共生する社会――「みなでとりくむ命がけの挑戦《コーポラティブ・ベンチャー》」――を安定的に営むという共通の目標について合意できるならば、そのためには各自の積極的自由の行使に対して一定の制限が必要になります。

こうした「共通の目標」に向けて、個々人の善構想とは独立に、社会という単位で構想するものこそが「正義」でした。ロールズ自身が提出する「公正としての正義」も、その構想のひとつです。以上から、ロールズ流の「正義」においては、個々の積極的自由の行使に一定の制限を課すことによって、大前提である市民社会の善構想および利害関心の多様さを損ねることなく、それでも共生することをめざすものだともいえるでしょう。

ここで重視されているのはバーリン流の「消極的自由」、つまり個々人の善の構想やその（一定の制限下での）追求について、周囲から放っておいてもらえる自由と表現できます。こうした自由は、前章での表現を使えば、他者の利害関心について「積極的に無関心」であろうとすることによって確保されるのです。

「不寛容に対する寛容」は成り立つか

バーリンを補助線としながらロールズの自由論を検討することによって、前章からもちこした課題のひとつに答えたいと思います。それは「不寛容に対する寛容」、つまり「真に寛容なのであれば不寛容なものをも認めるべきだ」という安易に悪用される——正しいことばにかかわる会話を冷笑まじりに制止するための手段とされがちな——常套句を棄却するための理路を、より精確に述べるという課題です。※6

ここまでの自由論のことばづかいでいえば、寛容をめぐる問題とは「信教の（消極的）自由を原則的に認めないような不寛容な宗教集団に対して、リベラルな市民社会は（どこまで）寛容であるべきか？」といったかたちでパラフレーズすることができます。なお、この「宗教集団」の部分には排外主義などの差別的な信念集団を入れても成立することは言うまでもありません。

このとき重要なのは、まずつぎの点です。それは、ロールズの構図において「自由」に制限を加える根拠となりうるのは特定の「善」構想ではなく、あくまで公共的な「正義」の原理だけだとい

※6　以降の理路はロールズ『正義論』三五節にもとづいて再構成したものです。

うことです。したがって話はシンプルで、まずもって不寛容な集団が自分たちの善構想にもとづいて他者の自由を抑圧しようと試みるのであれば、その時点でそれは正統な根拠を欠いたものであり、公的に棄却されます。

問題となるのは、こうした他者の自由への侵害行為じたいは個別に取り締まるとして、そうした不寛容な信仰や信念を共有し、広めようとする集団が「正義」の原理にもとづいて自分たちもまた最小限の「放っておいてもらえる」自由を主張するようなケースです。

ほかの信仰を認めないカルト的宗教集団や排斥思想を掲げる差別的集団が、現時点では直接的な周囲の自由への侵害にまでは踏み込んでいないという状況において、そうした排他的な信念にもとづいた集会や結社、さらには言論の自由を求めることはどこまで許容されうるのか。さらには、こうした信念をいだく人物や集団を、公権力はそもそも放置していてよいのか、という問題です。

ロールズ自身は、バーリン流の区別をもって語っているわけではありませんが、あえて敷衍《ふえん》すればその回答はつぎのようになるでしょう。まず不寛容な個人・集団における積極的自由の行使については、「それがほかのひとびとの存在の基盤を脅かすのであれば、制限を課すにじゅうぶんな根拠となる」というものです。

この点は、いかにたんなる善構想にもとづいた不寛容さではないと主張する——たとえば実体のない「特権」を云々し、むしろ自分たちの利害こそが不当に冒されており、正義の観点から異議申し立てをしているというタイプの主張を展開する——場合においても同様です。それが積極的自由の行使である以上、対象とされた個人・集団の消極的自由を少なくともその最小限度において守ることは、正義の原理が要求することです。

他方、いかに不寛容な個人・集団であっても、その信念にかかわる消極的自由——どのような不寛容な思想であれ、それをいだいているかもしれないことそれじたいは放っておいてもらえる自由——は、平等な良心の自由という正義の観点から、よほどの危機的な状況でないかぎりは制限されません。

ロールズ自身のことばでは、「平等な自由を保証する憲法が安定している」のであれば、「不寛容派に自由を与えない理由はなにもない」のであり、こうした最小限の（消極的）自由は「わたしたちの正統な利益（legitimate interests）が相当な危機的状況にある場合のみ、制限しうる」のです。

ここでロールズが信じようとしているのは、自由を重んじる社会制度のもつ「安定性」です。自由を大切にする社会であれば、それが多少なり揺るがされたとしても、バランスをとって補修するような力学がはたらくはずだというのです。

もし秩序だった社会に不寛容な宗派が現れるとしても、その集団に属さないほかの者たちは、自分たちの〔自由主義的な〕制度・体制が本来的に備えている（inherent）安定性を忘れるべきではない。

これはいささか理想主義が過ぎるかもしれません。しかし、それだけ断固として個々人にとって最小限度の自由は侵されてはならないという理念をつらぬくことこそが、こうした「安定性」の源泉になるという見解でもあります。これはバーリンもふくむ自由主義《リベラリズム》の伝統に連なるロールズにとって、けっして譲れない一線でしょう。

「自由」ということばの陥穽と例外

さて、バーリンおよびロールズの自由論から学べるテクニックは、まずもって「自由」がかならずしも単一の概念ではないということでした。そして「自由」どうしは対立し、両立しない関係にあることからも、その違いを区別しながら、なにを重視するのかを明確にすることが重要でした。

そうすることで、わたしたちは大切にすべき最小限の「自由」をみきわめ、それを守るために「どういうときであれば、自由は制限されるべきか」というバランス感覚を養うことができます。頻出するがゆえに使いどころの難しい「自由」ということばを乗りこなすとは、こうしたバランス感覚を身につけることにほかなりません。

バーリンとロールズが一致しているのは、大切にしなければいけない最小限の「自由」とは、わたしたちが究極的には「放っておいてもらえる」領域をもつことであり、だれもにとってこうした領域を確保することが社会の公共的な課題なのだという点でした。

ただし、前章でも強調したようにわたしたちが共生する社会では、それぞれの利害関心が重なり、衝突し、どうしてもおたがいへの利害関心をもってしまいがちです。だれかにとっての切実な利害に勝手に首をつっこんで「自分ゴト」としてとらえ、放ってはおけないと、その自由の最小限の領域を侵害することは珍しくありません。

また、そもそも最小限の「消極的自由」の尊重という理念それ単体だけでは、現在において配分されている自由の度合いが割り当てられた属性によっていちじるしく偏っている現実世界において、その偏りや格差についてもそのまま放っておくことをも含意してしまいます。したがって、けっして「自由」は唯一で至上の理念や基準にはなりえません。

バーリン自身、放っておいてもらえる消極的自由を抑圧することが正当化されうる場合があるのだと述べます。

もっとも自由主義的な社会においてさえ、個人的自由が社会的行動の唯一の基準であると〔…〕いうつもりは毛頭ない。われわれはこどもたちに教育を受けるよう強いるし、また公開処刑を禁止する。それらはたしかに自由の抑圧である。そうした抑圧を正当化するのは、無知、あるいは野蛮な養育、あるいは残酷な楽しみや興奮は、それを抑止するに必要な〔自由に対する〕制限の総計と比較して、われわれにとってより悪いものだという理由によっている。※7

ここでは、消極的自由の尊重という理念を度外視してでも介入し、是正されるべき「悪さ」が示唆されています。バーリンが挙げているのは「（養育にかかわる）無知や野蛮さ」そして「残酷さ」です。これらはいずれもただの負の理念、つまり「ことばづかい」の問題ではなく、現実における事象やふるまいの問題にほかなりません。

そう、リベラルな社会における最優先課題とは、じつのところ（最小限の）自由の追求ではないのです。むしろ自由の価値を大切にする社会を安定的に営むためには、より優先して克服しなくてはならない負の課題があるというのです。次章では、その課題に目を向けたいと思います。それは、バーリンが示唆するように「残酷さ」をできるかぎり最小化し、忌避することです。

※7　バーリン『自由論 新装版』、三八五–三八六頁。

8章　わたしたちの「残酷さ」と政治

なにから自由を守るのか？

前章では、わたしたちが「自由」と言うときに大切に思っていて、かつ守られるべき範囲を「消極的」自由として線引きすることばづかいについて紹介しました。それは、危害を加えられない、干渉されない、など否定形で表現されるような「放っておいてもらえる」自由のことでした。

もちろん、消極的自由だからといって無制限に重視されるわけではありません。むしろおのおのの消極的自由が守られるべき領分をおびやかしてはならない、侵さないようにしよう、と個々人や、なによりも強大な力をもつ組織・機関に歯止めをかけるためにこそ、この意味での「自由」が大切なのでした。この典型例として「信教の自由」の憲法条文——誤解されがちな「どんな宗教・思想でも信じることができる自由」ではなく、正しくは「なんらかの宗教・思想を強要されない自由」——を検討しました。

本章で掘り下げたいのは、こうした「自由」の使い方を重視することが、ほかにどういった「正しいことば」の使い方とつながってくるかという点です。それをみていくには、この「自由」の用法が大切にしているポイントがなんであるかを確認する必要があります。というのも、さきほどのトピック（信仰）について消極的自由が脅かされるべきでないということには異論がないと思いますが、ほかのケースでは意見が分かれることも多いからです。

たとえば、わたしたちにとって記憶に新しい感染症対策の文脈で「ワクチンを打つことを強要されない自由」が声高に主張された場合——もちろんこの字義どおりには認められねばなりませんが——、漠然と反感をいだくひともいるでしょう。これには認めるか認めないかの二択ばかりでなく、接種じたいは自由だが未接種者には一定の行動制限を課すべきだとか、職業上の行動パターンを変えられないのであればそうした自由は認められるべきではないといった意見もありえます。こうした具体的なトピックについて考え、会話を経てそれぞれの考えを形成するためには、そもそも「自由」と言うときになにを大切にしていて、なにを恐れているのかをふまえる必要があります。

ここでの「消極的《ネガティブ》な／否定形の」という表現が物語るように、消極的自由とは相手あってのものです。つまり「自分のことを自分で決める自由がある」というような意味での自由ではなく、なにかから守られる自由ということでした。では、だれに（なにに）対して身構えているのか。それは、わたしたち自身にほかなりません。それは、たんに「他者」というだけでなく、自分自身を構成員としてふくんでいる社会集団、そしてその最たるものである国家という強大な統治機構です。

だれもが弱者であり、強者でありうる

わたしたちが社会で生きるために形成する集団は大小さまざまあります。そして、それぞれのレベルで当該集団を維持するための運営——統治——がおこなわれています。家族、学校、企業、町内会など、各所に明文化されていたりいなかったりする一連の「ルール」があり、それらがおおむね守られることによって集団の秩序が保たれます。そのため、秩序——あるいは持続可能性——が求められる集団ほど、構成員である個々人にルールを守らせるための力をもつことになります。

この「力」の行使には、ルール違反者の拘束や集団からの排斥といった直接的なものから、名誉の剥奪や屈辱を与えるものまでバリエーションがあります。たとえば学校の場合、明文化された校則などにもとづいた、謹慎や退学のような公式処分から、大勢の前で名指しで叱責したり立たせたりして辱めることまで幅はありますが、いずれもルールの制定者・裁定者側たる教員と構成員たる学生とのあいだに「力」の勾配があるのは明らかです。

また家族という集団においては、ほとんどの場合に明文化されていないでしょうが、親は子に対して行使しうる絶大な力を有します。配偶者どうしのあいだにも——対等なパートナーシップという理想的な秩序の維持がめざされる場合であってさえ——やはり「力」の勾配が生じるでしょうし、

それには経済的な優劣や身体的な力の強弱などがそのまま反映されてしまいがちです。

これらに共通するのは、いずれの集団にもこの意味でのさまざまな「力」をめぐって「強者と弱者」がいるということです。だれが強者かは特定の集団内でも入れかわる場合があるでしょうし、わたしたちは同時に複数の集団に所属しますから、ある集団の強者が別の集団で弱者になることはつねです。しかし、特定の社会集団において「強者と弱者」が存在するという構造じたいは、集団が集団である以上は変わりません。

わたしたち全員がなんらかのかたちでその支配下に属しており、かつ実効性のある最強の力を行使することができる集団単位こそが「国家」です。この集団において、わたしたちは程度の差はあれ、ほぼ全員が国家権力に脅かされうる「弱者」ですが、主権在民を掲げる民主主義国家である以上は同時に——各種の政治活動、とりわけ選挙を通じて——、集団のルール制定と裁定に間接的にかかわる「強者」たりえます。このことは、有権者の世代別での人口ボリュームをとりざたして、「(日本において)若者は弱者だ」といった世代間対立を煽るような言説がしばしばなされることを思い起こしていただければ、理解しやすいでしょう。

個人ではけっして抵抗できない圧倒的な力をもち、わたしたちの生殺与奪を握るような社会集団である「国家」をどのように構想し、そのルールと運用方針を考えるのか。それこそが「政治」の課題にほかなりません。「政治思想」というものの重要な役割は、民主主義の理念のすばらしさを称揚することよりも、こうした圧倒的な力を備え、いつでもわたしたちに「恐怖」をもたらしうる統治権力をどうコントロールするのかを現実的に考えることにあります。

これを本書の課題にひきつければ、つぎのようにいえるでしょう。わたしたちが「正しいことば」を遠ざけるべきではないのは、それをたくみにあつかえるといいことがあるからではありません。そうではなく、逆にまったくあつかえないままだと自身やともに生きるひとたちを無防備に脅威にさらしてしまい、破滅的にひどいことが起こりうるからなのです。さらにもうひと声足せば、さまざまな集団において、ときに強者となっている自分が——そのことをじゅうぶんに自覚しないまま——周囲にふるってしまっている力の危うさに気づくためでもあるでしょう。

たとえば前章でとりあげた「自由」の消極的用法は、この強大な国家権力から守られるべき自由の範疇を明確にして線引きをしよう、という政治思想——自由主義《リベラリズム》——にもとづくものでした。そして、まさにこの観点を「恐怖に対峙するリベラリズム（Liberalism of Fear）」と呼んで最重視した政治哲学者が、本章で検討するジュディス・シュクラー（一九二八－一九九二）です。

「善」ではなく「悪」についての一致

シュクラーは東欧ラトヴィアで生まれ、北米を拠点に活躍しました。前章で登場したバーリンとは同郷のリャガ出身で、両者はともにユダヤ系ですが、一世代上のバーリンが戦間期である一九一九年にイギリスに渡り、第二次大戦期にはすでに政治学者および実務家としてのキャリアを開始していたのに対して、シュクラーは第二次大戦のただなかである一九四一年に家族に連れられてカナダに亡命しています。ラトヴィアは一九四〇年にソヴィエト連邦に併合されて独立を失い、翌四一年にはナチスドイツの占領下に入っていました。ユダヤ人であるシュクラー一家は、かろうじて難を逃れたということになります。

前章ではバーリンについて「現実主義」的と評しましたが、ホロコーストから逃れた亡命者の一家であることを原体験にもつシュクラーの政治および政治思想への姿勢には、それ以上の緊張感がみなぎっています。彼女は自身が奉じる「リベラリズム」の思想的伝統が、なにを善とするかの一致ではなく、なにが悪であるかについての一致に端を発しているのだと述べています。

リベラリズムのもっとも深い基礎と認められてしかるべき場所は、当初から、もっとも早く寛容を擁護した者たちがいだいた確信のうちにある。すなわち、身の毛もよだつ恐怖のなかから生まれてきた確信、残酷さこそ絶対悪、神や人類への攻撃であるという確信である。こうした伝統からこそ、政治的な意味での恐怖に対峙するリベラリズムの主張は生じてきたのであり、わたしたちの時代のテロルのただなかにあって、重要性をもち続けているのである。

ここで「残酷さ（cruelty）」に依拠していることは、とても重要です。というのも、残酷さは特定の宗教や哲学に依拠することなく――あえていえば身体感覚、あるいは感性として――、把握されることだからです。また残酷さは、たんに直接的な危害に限ったものではありません。

シュクラー自身の定義では、残酷さとは「より強い者・集団が、みずからの（有形無形の）目的を達成するために、より弱い者・集団に対して身体的な苦痛、そして二次的には感情的な苦痛を故意に与えること」とされます。つまり残酷さは、たんに身体的な危害を加えることばかりでなく、「屈辱・辱め（humiliation）」を与えることもふくみます。相手の自尊心を踏みにじったり、社会集団において恥をかかせたりすることもまた残酷さのひとつだということです。※1

なによりまず「残酷さ」を低減せよ

ここでポイントになるのはふたつです。まず、「より強い／弱い」という力の勾配がある点です。

※1　ジュディス・シュクラー（大川正彦訳）「恐怖のリベラリズム」、『現代思想』二〇〇一年六月号、青土社、一二二頁。邦訳を基本的にもちいつつ、原文を参照して一部の訳を変更しています。また強調の傍点はわたしが付与したものです。以下も同様です。

ゆえにこそ、最強の力を有する公的機関、国家の統治機構によってもたらされる「残酷さ」こそがとくに焦点となります。これは歴史からの教訓でもあります。

もうひとつは、ここでは避けるべき「悪」としての残酷さに明確な定式化や理論的な線引きは与えられていない、ということです。ここで訴えているのは身体的な、あるいは共感的な要素に留まります。シュクラーは、読者に対して「おぞましい」「(自分なら)避けたい」というような感覚、あなたにもわかりますよね、と投げかけているのです。ですから、彼女はつぎのように続けます。

恐怖とは、身体物理的なものであるばかりでなく、普遍的なものでもある、と無条件に述べることができよう。それは身体の反応であると同時に心の反応でもあり、したがって人間ばかりか動物にも共通する。生きていることは恐れることでもある。それはたいていの場合、わたしたちを大いに助けてくれる。なぜなら、警告は、しばしばわたしたちを危険から遠ざけて、身を保たせてくれるからである。さらに政治的に考えるならば、わたしたちは自分自身だけでなく、わたしたちの同胞市民をも恐れている。つまり恐怖をいだくひとびとからなる社会を恐れているのである。※2

ここでの「普遍的」という用法を、少なくともわたし自身は採用しませんが、シュクラーの場合にはつぎのようなことを念頭に置いています。「恐怖」をかき立てる――身体的な比喩でいえば「身の毛もよだつ」ような――残酷さは、個々人において対象や程度に差異こそあれ、総じてそれがどんなものであるかは、生物としてわかるだろう、ということです。言い換えると、なにが残酷であるかについての判断は多少なり割れることがあるかもしれませんが、しかし、それが残酷であると判断されれば、避けるべきだ――「わが身に起きてほしくない」「目をそむけたい」――という反応が示される点においては一致するはずだ、ということです。

これまでたびたび論じてきたように、なにをよいものとして位置づけ、どんな理念を共有するかについての考え、すなわち「善」の構想は多様にあり、それらはなかなか一致しません。だからこそ、「正義」ということばをそれとは区別し、多様な善構想を共存させうるものとして大切に使おう、というのが本書を通じてくり返し提案してきた正しいことばのロールズ流運用テクニックの肝でした。

シュクラーの提案は、この方向性を補強するものです。つまり「善」についての一致はできずとも、避けるべき「悪」についてであれば、ある程度の広範な一致を確認できるはずで、その一致を足場としていっしょにやっていくことができるのではないかと提案するのです。これまで、では「正

※2 前掲書一二八頁。

義」の内実とはなんであるのか、具体的にどういった目標が立てられるのかといった課題については、そこに「公正」というキーワードこそ与えられたものの、どうしてもあいまいなままでした。

しかし、シュクラーを経由するならば、「正義」をめざす実践である政治の目標を、つぎのように述べることができます。それは、わたしたちが恐る恐る社会を営み、他者とともに生きていく日常において満ち満ちている「残酷さ」を、あたうかぎり最小にしていくことだ、と。

「残酷さ」への着目の系譜

シュクラーの掲げる「なによりまず残酷さを低減せよ（Putting cruelty first）」という原理は、先の引用にあったように歴史的な経緯をもっています。彼女は、この指針こそカトリックとプロテスタントとの血塗られた宗教対立のすえに掲げられた「寛容」の原理に先立つものだと述べています。そして、その実践的な先駆者といえるのが、まさに宗教戦争のただなかにある一六世紀フランスに生きた思想家モンテーニュ（一五三三‐一五九二）です。

モンテーニュは、当時の秩序の担い手であるカトリック陣営が、自分たちの意に沿わぬプロテスタントたちを弾圧するうえでどれほど残酷であったかをつぶさにみてきました。彼は『随想録』の「残酷について」と題された章において、捕らえられたプロテスタント信者が拷問にかけられ、みせしめとして火刑などの過剰な責め苦それじたいを目的とした死刑に処されていることを念頭に、つぎのように書き残しました。

> わたしにとっては、いくら司直の手によって行われるにしても〈余計な責苦をともなう〉単純な死以上のものはすべてただの残酷としか思われない。人々の霊魂を良き状態において天に送ろうと務めねばならない我々キリスト教徒にとっては、特にそう思われる。こういうお務めは、堪えがたい責苦によって霊魂をかき乱したりしたら、とうてい果せないのである。※3

「(宗教的)寛容」という正しいことばが登場する以前の時代において、モンテーニュはプロテスタント信者への責苦を「われわれにとって」想像可能なものとして「残酷」だと非難しています。彼にとって残酷さは、裏切りや不信などと並んで「わたしたち人間が日常的に犯している悪」のひとつであり、そのなかでもっとも許されざるものです。

> わたしはもろもろの不徳〈悪〉の中で、最もはげしく残酷を憎む。性分によっても判断によ

※3　ミシェル・ド・モンテーニュ（関根秀雄訳）『随想録』、青空文庫、強調の傍点と挿入はわたしが付与したものです。以下同様。

っても、これこそたくさんの不徳のうちの最たるものとしてこれをにくむ。〔…〕わたしは雄鶏を縊《くび》るのを見ても不快を感じないではいられないし、兎がわたしの犬の牙の間でうめくのを聞いても我慢ができない。※同前

モンテーニュがこうした強い調子で、残酷さを——現代日本語の定型表現でいえば——生理的に耐えられないとまで述べるのは、それが彼にとって理解の外にあるものだからではなく、むしろ身近にありふれており、おそらくは自身のうちにさえ見出されうるものだからです。わたしたちがつい残酷になってしまうのは、生来的に備わった「悪」への傾向性なのだと彼は述べています。

まったく同情の気持を十分にもっていながら、我々は他人の苦悩を見ると、心の底に、何とも言いようのない・甘いような苦いような・意地の悪い快感を覚えるのである。子供たちまでがそれを感ずるのである。※4

残酷さは、とり去ることができない「われわれの生命の根本的性質」にかかわるものだとモンテーニュは続けます。しかし、だからこそわたしたちはみずからのうちにある残酷さを自覚し、それとうまくつきあい、その悪影響を最小限にするよう努めなければなりません。わたしたち個々人が

残酷さへの傾向をもってしまっていることと、じっさいに残酷さが公然と発露されることをなによりおぞましいと忌避することとはなんら矛盾なく両立します。いや、むしろ両立させねばならないのだとモンテーニュとシュクラーは言うでしょう。

わたしたちの「残酷さ」を直視する

ポイントになるのは、やはり「力」の勾配です。モンテーニュが非難した「統治側であるカトリックによるプロテスタントの弾圧」が典型ですが、公権力によってシステマチックにふるわれる残酷さは、個々人の残酷さの延長線上にありながら、あまりに甚大な害悪をもたらします。モンテーニュが目撃したそれは、シュクラーにとっては自分たち家族はかろうじて難を逃れたナチスドイツによるホロコーストでした。その後の人類史においても、こうした公権力による計画的で大規模な残虐行為の実行や黙認の事例は、枚挙にいとまがありません。

こうして歴史を参照するとき、「なによりまず残酷さを低減せよ」という指令はいっそう切実なものとして響きます。それは未来志向で希望に満ちたビジョンを提示し、理念に向かって進んでいこ

※4　前掲書「実利と誠実について」より。

うというような前向きなものではありません。むしろ過去を顧みて、ついぞ絶えることのない残酷さの発露の歴史を確認することで、同時代と近未来においてもつねにそれは生じているし、また生じうるという冷徹な認識を新たにさせるものです。

このとき、わたしたちはたんに「弱者」としての立場から公権力のもたらしうる恐怖と対峙するばかりでなく、さまざまな規模の集団やその時々におけるさまざまな「力」の勾配における「強者」として増幅されてしまいうるみずからの残酷さをも直視しなければなりません。

それは、わたしたちそれぞれに悪徳を備えた人間たちが否応なく寄り集まって、命がけの挑戦としての社会を営もうとするさいに、なによりもまず優先すべき政治的課題なのです。

コラム②

だれも「中立」ではいられない

わたしたちの生活は、テクノロジーによって劇的に変化しうるものです。いまではスマートフォンのような個人端末なしの日常生活を想像することはもはや難しいですが、ほんの一五年ほどもまえには、たとえば位置情報をつねに捕捉できるような端末を、ほとんどだれもが持ち運んでいるような社会は想像することができなかったはずです。外出しているこどもの現在地をリアルタイムで把握することができ、学校の敷地内に入ったら自動的に通知が来たりするというようなことは、ほんのちょっと以前までは、とてもギョッとするような事態だったでしょう。しかし、今日では多くの親と子が当たりまえのように受け入れていたりするのです。

この例がそうであるように、テクノロジーの変遷には、たんに「技術的にできる」からといってやっていいのか、という問題がつきまといます。最近日本でもよく見聞きするようになった表現では、ＥＬＳＩ（エルシー：倫理的・法的・社会的課題）といいますが、テクノロジーがわたしたちの社会や生活、そして価値観をどのように変えてしまいうるのかを多角的・包括的に検討しながら、その社会実装を考えていかなくてはいけません。

では、本書がテーマとしている「会話」においてはどうでしょうか。わたしたちの会話を変化させているテクノロジーとして、まっさきに指摘できるのはインターネットの登場ではないかと思います。いわゆるソーシャルメディアが登場する以前、オンライン掲示板の時代にはすでに、インターネットに接続さえできたならば、だれでも、いつでも公共の場で自分の声を発信できるようになりました。この一点だけをとってみても、人類にとっての「会話」をめぐる環境は激変したといえるでしょう。

インターネット上の会話、そこでのことばづかいは、当然ながらインターネットという空間の構造上の特性からの影響を強く受けます。たとえば、よく「アテンション・エコノミー」として論点化される問題があります。インターネット上ではあらゆる「行動」が計測され、それを高めることにさまざまなインセンティブが働きます。クリック数・ページビュー数・再生回数・滞在時間・購入率・フォロワー数など、具体的にデジタル広告のビジネスにおいて広告費の算出ロジックなどにもちいられている指標もあれば、そうでないものもありますが、測られて可視化されると、それをつい意識し、追求してしまうものです。

こうした環境を背景として、インターネット上では、どうしても扇情的で行動を喚起しやすいような言説が目立つようになります。先ほど紹介した用語で言うならば「アテンション（注目）」を惹きつけるような言動をすることに経済的・心理的なインセンティブがはたらく構造があるわけです。いわゆる「釣り見出し」や扇情的なバナー広告をついタップしてしまったが、遷移した先のページは期待はずれだったという体験は、あらゆるインターネット利用者にとって身に覚えがあるのではないでしょうか。

ちなみにアテンション・エコノミーの対義語として、最近は「インテンション・エコノミー」ということばがもちいられています。スポーツに「インテンショナル（故意の、意図のある）・ファウル」という用語があるように、明確な意図や目的をもって、参加者それぞれがよく考えて行動するような経済構造をつくろう、という構想です。逆にいえば、現在のアテンション・エコノミーで駆動するインターネット言説空間は、ひとに考えさせずに――慣用表現を借りれば「脊髄反射的に」――行動させることに特化しているわけです。※1

※1 こうしたインターネット時代の言説環境における課題については、以下の書籍の第3章と第4章でより幅広く、事例も交えながら詳細に検討しています。関心をもたれた方は、ぜひそちらも参照ください。谷川嘉浩・朱喜哲・杉谷和哉『ネガティヴ・ケイパビリティで生きる――答えを急がず立ち止まる力』、さくら舎、二〇二三年。

こうしたアテンション・エコノミー全盛のインターネット言説空間における「行動喚起的な」観点で有効なテクニックのひとつとして、6章で紹介した「利害＝関心」を煽ることによる「自分ゴト化」の用法も位置づけることができます。ここで重要なのは、こうしたさまざまなテクニックは、かならずしも悪意をもって故意に——それこそインテンショナルに——もちいられているわけではないということです。インターネット上でコミュニケーションという一種の「ゲーム」を営むプレーヤーにとって、この手の悪質なテクニックは、ゲームが営まれる場の構造的な特徴にかなった、ある意味では最適なものです。そのため、とくに意識せずとも周囲のふるまいをまねているうちに、おのずとそうしたテクニックを多用するプレースタイルになってしまうのです。

たとえばプロ野球では、公式戦を開催できる野球場についての各種規定がありますが、それを満たした上でも球場ごとに立地や構造から生まれる個性と特性があり、ホームランの出やすさをはじめ、統計的に有意なパークファクター（球場ごとの偏り）があることが知られています。こうした球場の特性は、そこで多くの試合を営むホームチームの編成や所属する選手たちのプレースタイルに否応なく影響するでしょう。そして、特定の球場で培われたチームや選手個人のプレースタイルは、異なる個性をもった球場に乗りこむビジターゲームでは不利になるとしても、そうそう容易に変えることができるようなものではありません。

同じように、インターネット空間、より正確にはそのなかでも個々のソーシャルメディアやまとめサイト、動画サイトのコメント欄など、それぞれに特殊な個性と特性をもった「場」において日常的にコミュニケーションをしていれば、否応なくスタイルにおいて影響を受けてしまうでしょう。インターネット上の「会話」の多くは、不特定多数で匿名のひとびとが絶えず入れ替わりながら営まれます。そうした場では、「会話」に参加するメンバーの顔――それぞれに固有の人生を生きる、ひとりの人物としての人格や個性――が見えることは基本的にありません。だれであれ、一クリックは一クリックであり、一ページビューは一ページビューです。そこで個々人とは、各種の計測できる「行動」の一単位であり、代替可能なものです。

たとえば、ツイッターにおけるリツイートやハッシュタグの機能をもちいたコミュニケーションを考えてみます。そこでは数こそが重要であり、大量のアクションを調達するためには「アテンション」に訴える戦略がしばしばとられます。そのため、顔の見える少数のフォロワーを念頭においた継続的で繊細なコミュニケーションをとるのではなく、ほとんど接点のない不特定多数に、そのトピックに関してのみ反射的なアクションを引き起こすような話法とことば選びが優先されるでしょう。もちろん、個々のアカウントを運用しているのは、無数に行き交う軸のなかで、それぞれにしかない座標を生きる全人格的なひとびとです。しかし、こうした定量的に評価されうるコミュニケーションにおいては、個々人の人格の複雑性がばっさりと捨象されます。特定の属性、特定のニーズ、特定の対立構図のみから、いわば横串を刺すようにピンポイントで動員することによって、顔が見えるコミュニケーションではほとんど不可能な数の（その一点における）「味方」を調達することができるのです。

こうした「属性」の単純化と、それによる「味方／敵」への分類は、ツイッターのようなソーシャルメディアにおいてはとりわけ進みやすいものです。多くのひとは匿名でアカウントを運用してますが、ＳＮＳ内で観察可能な言動に限っても、そのアカウントのプロフィール欄、フォロー・フォロワーのリスト、そしてもちろん過去の投稿、さらには「いいね」の履歴のようなものを見れば、おおよそどんなひとかが推量されてしまうのです。

たとえば見知らぬアカウントからフォローされたときや、バズっている投稿の主を確認するときなど、わたしたちはこうした「推量」をするはずです。そして、それは往々にして話題になりやすい論争的なトピックについて、「ああ、そっち側のひとね」というように「陣営」へと分類するのではないでしょうか。これもソーシャルメディアという媒体の構造に起因する傾向性ですが、もし意識的《インテンショナル》に自分の立場を打ちだしていないアカウントだとしても、とくに意図のない《アテンショナル》ふるまいやことばづかいによって、いわば周囲からその「ポジション」を推定、認定されてしまうのです。

こうした傾向は、言うまでもなく創発的な「会話」の発生を阻害し、相互にことばを交わすモチベーションを萎えさせるものでしょう。インターネット上の言説空間がこうした場になりやすいという点については、4章で検討した「トランプ現象」でも典型に示されています。また6章で論じたように、あらゆる論点について、自分がどちらかの陣営に立たねばならないと感じたり、どちらが正しいのかを即座にジャッジして、しかるべきふるまいをせねばならないと思ったりすることは、今日の言説環境が加速させる「過剰な関心」に由来するものでしょう。こうした状況において、ひとつの有力な処方箋となるのが「積極的な無関心」でした。しかし、この「無関心」は、一見するとインターネット上でしばしば見られるある態度と重なるかもしれません。それはつまり「冷笑的」「評論家きどり」と評されるような態度です。

こうした態度は、ここまでのインターネット言説空間の特性についての考察と、ちょうど地続きにあります。つまり、対立構図をつくりだしがちであり、アテンションによって特定のトピックに大量の「味方」を動員して「敵」を叩くことが生じやすい言説空間においては、加熱する言説的対立を横目に「自分はどちらでもない」「どっちもバカ」ということが、より上位の、より強い立場になりうるのです。

多くのひとは、自分のことを「中立」「ふつう」「バランスがよい」と思いたがるようです。しかし、それをあえて自認するような表現、たとえば「ふつうの日本人」がすでに一種のネットミームになっていることは示唆的です。先の場面に戻れば、プロフィール欄に「ふつうの日本人です」「右でも左でもない」などと書かれているのを発見したならば、それは――インターネットに慣れている人ほど――、当該アカウントは特定の陣営に属しているのだと推量されるでしょう。

複雑な社会において、無数の交差性のなかで座標をもって生きるほかないわたしたちは、そう簡単に「どちらにも偏らない」ことなどできないのです。そんななかで「冷笑的」「評論家きどり」といった表現が一種の悪口として機能し、そう名指される対象のカテゴリが形成されてさえいるのは、興味深いことです。それはつまり、こうした「中立」の立ち位置をアピールすることが、その実として場における「力」の勾配の上位に立つことを——それもきわめて安易に——志向しているというのが透けて見えるからかもしれません。そのずるさは、おそらく「冷笑的」と名指されるような態度が、あたかも自分だけは無数に行き交う社会的な交差性の軸の力関係から自由であり、一段高いところに立てるかのようにふるまっていることにあるのではないでしょうか。

本書では、交通や運転のメタファーをもちいながら、やはり「バランスをとる」こととしての公正さ、あるいは正しいことばのちょうどよい「乗りこなし」について、ずっと考えています。しかし、前提にある認識は先ほどの「自分こそバランスがとれている」というのとはまったく異なります。むしろ逆に、わたしたちの社会は、そしてわたしたち自身も自然にバランスをとれていることなどありえない、というのが大前提です。だからこそ、バランスのとり方について、学び、不断の努力をする必要があるのです。

現在の言説環境において、バランスをとるための方法論として6章で提示したのが「積極的な無関心」の薦めでした。これは、インターネット時代の言説における過剰な関心とそれによる「自分ゴト化」のネガティブ面を重くみて、そのカウンターとしてバランスをとるための処方箋でした。この態度が「冷笑的」と名指されるものと異なるのは、ここでの「無関心」が、自分をとりまく交差性を捨象するのではなく、むしろ自分の置かれた社会的座標をより精緻に見定めることを要求する点でしょう。この要求を遂行したならば、ほとんどの場合、わたしたちはいくつかの重要な点では「力」の勾配の上位に立っており、容易には脅かされない既得権益に浴していることを自覚するはずです。

　わたしたちがなんとかバランスをとりながら「会話」を続ける舵取りをしていくためには、逆説的に、わたしたち自身と、わたしたちがいっしょに営んでいるこの社会とが、いかにバランスを欠いているかを絶えず自覚しなおすことが重要になります。

　そして、わたしたちがふだんから多くのことばと出くわし、「会話」の場となりうる機会の多いインターネット言説空間がもっている特徴、いわば地政学的な条件についても反省的に考え、そのネガティブな側面とどのようにつきあっていくかを考えることは重要でしょう。それは、インターネット時代のコミュニケーションという公道において、どうやって安全運転をすることができるのか、いわば身を守り、そしてまた自分が加害者にならないために必要なことなのです。

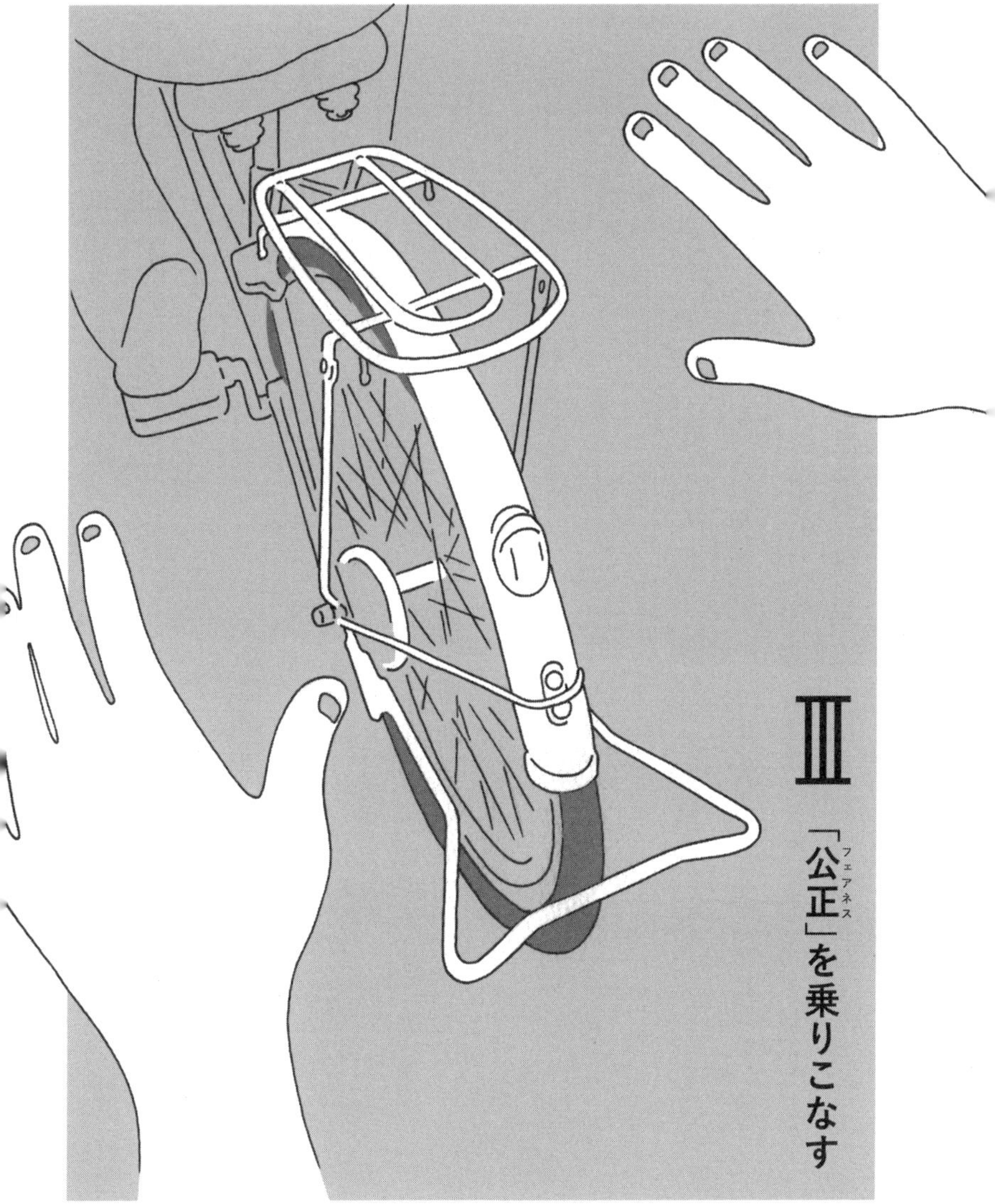

III

「公正《フェアネス》」を乗りこなす

9章　理論的なだけでは「公正」たりえない

「残酷さ」への着目と「正義」の構想

第II部の最後では、政治の最優先課題を「なによりまず残酷さを低減せよ（Putting cruelty first）」とするジュディス・シュクラーの考え方を紹介しました。政治哲学は「正しいことば」のあつかい方を検討し、わたしたちがどのようにみなにとっての利害にかかわる政治を営むのかを考えます。そのさい、あえて単純にいえば「なにがめざすべき善なのか」について検討するのか、それとも「なにが避けるべき悪なのか」について検討するのかという二方向のアプローチがありえます。「恐怖に対峙するリベラリズム」を掲げるシュクラーは、明確に後者をとっているといえます。

こうした路線は、これまでとりあげてきたロールズ流のリベラリズムとも親和的なものでした。ロールズにおいても、「なにを善とするのか」（善の構想）については個々人が自由に思い描くことであって、かならずしも一致しません。しかし、その自由を守るためにも、各人の善構想とは離れて、国家をはじめとした強大な公権力をどう運用するかについての大方針である「正義」については一致できる構想を描く必要があるのでした。

ここからは、これまでおもに第I部でみてきた「正しいことば」の使用例、そして第II部でみてきた「自由」「(無)関心」「残酷さ」といった関連する重要なことばを下敷きに、あらためてわたしたちの生きる社会について考えたいと思います。どうすれば、わたしたちは「正しいことば」を乗りこなし、わたしたちの営む社会を少しでも公正《フェア》なものにできるでしょうか。

身体感覚としての「残酷さ」は相対的なのか?

さて、8章でモンテーニュを通じて確認したように、「残酷さ」はわたしたちにそなわった悪徳であるといえます。そして、とりわけそれが「力」の勾配とかけあわさるとき、恐ろしいまでの残虐性が、それも組織的に発露されうるということは歴史が証明しているとおりです。しかし、歴史に思いを馳せるとすると、他方でつぎのような疑問も浮かぶかもしれません。

そうはいっても、なにを残酷とみなすのかについては、それこそ歴史や文化的な背景も大きく作用して判断が分かれるのではないか。そして、当時の多数派にとっては残酷だとさえ思われていなかったような蛮行は数多くあったし、これからもあるのではないか、と。この疑問が問題になりうるのは、「残酷さ」の基準が時代や文化、さらには個々人によって異なるのではないか、というふうに派生するからです。1章で紹介した用語でいえば、「残酷さ」の基準は、けっきょく相対主義的なのではないかという疑問です。もしそうであれば、多様な善構想を超えて共有されうる正義の構想の基盤にすえることは難しいでしょう。

こうした疑問について、まずはシュクラー自身がどう対処するのかをみていきましょう。たとえば8章で確認したように、彼女は「〈残酷さの判断基準となる〉恐怖を感じるのは、身体の反応であり、心の反応でもある。ゆえに人間ばかりでなく動物にも共通する」と述べていました。生物としての身体感覚に訴えることで、シュクラーは「残酷さ」について普遍的に——相対主義に陥らず、いつどこでも成り立つものとして——とらえることができると考えているのです。

しかし、この説明戦略にも物言いがつけられると思います。というのもシュクラーは、「残酷さ」については理論的に定義したり、説明によって説得したりするようなものではないと述べています。それにかわってもちだすのが「生物としての」感覚である「恐怖」でした。この点に関しては、人間とほかの動物とのあいだに区別はありません。だとすると、動物に対する「残酷さ」低減も——人間へのそれと同様に——政治の最優先課題ということになるでしょうか。

シュクラー自身は、「残酷さ」の身体性を強調しつつも、その害悪の中心をあくまで「自由を侵害する」という点に置いています。これはシュクラーが政治哲学者として西洋的な自由主義リベラリズムの文化に根ざした議論をおこなっているからで、そこではやはり暗黙のうちに人間と動物とのあいだには一線が引かれているようです。

しかし、この「動物への残酷さ」の問題は、この感覚が時代や文化、人それぞれにおいて相対的なのではないか、という疑念にちょうどあてはまるものでしょう。現代においても、典型的には動物の肉を食べることの是非や、そのさいに焦点になる動物の種類や線引きをめぐって、まさに「文化的伝統への侵害」だとか、「一方的な価値観の押しつけ」といった表現が飛び交います。たとえば、日本においては捕鯨および鯨肉を食することについて、思い起こしていただければよいでしょう。こうした議論状況からすると、やはり「残酷さ」の感覚に依拠して政治的な一致をみることは難しいのではないか、と思われるかもしれません。

動物倫理と「文化・伝統」とのあいだの緊張

そこで、もし「文化的伝統」などを盾にして、（特定の）動物を食べる習慣の継続を主張したい場合を考えてみましょう。このとき穏当な路線としては、批判者側が指摘する「残酷さ」を多少なり認めて、「たしかに少々残酷かもしれないが、（当該産業従事者の保護などの）しかたない事情がある」などというかたちで、肉食をなんらかの「必要悪」とする方針になってくるでしょう。しかし、この路線で議論に臨もうという場合、少なくとも倫理的な面では撤退戦の一途をたどることになりそうです。

というのも、最初の一線を譲ってしまえば、ではどうすれば「悪」（残酷さ）の度合いを減らせるのか策を講じたり、そもそも「必要」の度合いを再評価したり、といったかたちで譲歩していくことになるだろうからです。そして、じっさいに現実の動物食や毛皮の利用などの是非をめぐる動物倫理にかかわる国際的議論の展開は、おおむねこうしたルートをたどっているといってよいのではないでしょうか。

程度の差はあれ、ひとたび動物食が「残酷である」ことが認められはじめた社会では、遅かれ早かれ、その残酷さはなるべく低減したほうがよいという規範がはたらき、じっさいにその方向へと習慣が変わっていきます。それは「だって、かわいそうじゃない」「肉食、気持ち悪いからムリ」という――広い意味で――身体的・生理的な反発ですから、理論的に説得して以前の習慣に戻るようにうながすことはできないからです。

こうしてみると、シュクラーの掲げる「なによりまず残酷さを低減せよ」とは、一見するとよりましな社会をめざす控えめな理念に思えますが、じつはとても強い原理です。そして、この「残酷さ」の身体感覚に訴える戦略は、その強さゆえに、さきほど述べたようにシュクラー自身は政治哲学者として暗黙のうちに引いていた、人間と動物とのあいだのなんらかの理論的な「線引き」さえをも無効化しうるようなものなのです。

動物食や毛皮利用などの擁護を試みる主張の検討に戻りましょう。なんらかの「残酷さ」を認めてしまうと、あとは撤退戦になるだろうという見通しを示しました。では別のルートとして、最初から「残酷さ」をいっさい認めない、という路線だとどうでしょうか。さきほど確認したように、「残酷さ」の訴えは、議論を通じての説得というよりも感情移入を通じての共感として効果を発揮します。そのため、文化集団としての公式見解がどうあれ、言論や報道の自由が認められる社会においては、その構成員の全員が自分たちに届いた「残酷さ」の訴えにまったく影響されないということは考えづらいでしょう。

そうすると、こうした強力な訴えへの対抗戦略としては、たとえば「文化的な侵略」といったレトリックをもちいて「外部」からの批判への反発を煽り、内部集団の結束を高めるような路線があるでしょう。じっさいに動物倫理をはじめ「西欧の価値観にもとづいて、他国の文化的伝統を破壊しようとしている」とする反発がみられることは珍しくありません。さきほども触れたように、日本においても、たとえば鯨肉を食べる風習への批判に対して、このタイプの反発があったことは記憶に新しいかと思います。

肉食などのトピックについてであれば、残酷さの感覚は「文化によってそれぞれ」という反発に共感するひとも少なくはないかもしれません。しかし、このタイプの反発が成立しがたいことは、すでに示唆しているとおりです。ただし動物倫理の場合にはーーシュクラー自身も暗黙のうちにおこなっているように——人間と動物とのあいだには線引きが可能だとする直観をもって、この線引き感覚の文化相対性に訴えるルートは残されるかもしれません。そうだとしても、議論の余地なくわたしたちと同じ人間に対して行使される残酷さについては、同じ論法は使えません。

たとえば具体的な世界史的事態として、ちょうど二〇二一年後半から進行しているアメリカ軍撤退（敗退）後のアフガニスタンにおいてふたたび統治権力に返り咲いたタリバン政権における、とりわけ女性をはじめとした市民への強権的な抑圧、残酷な蹂躙について、わたしたちはどう考えるべきでしょうか。あるいは、二〇二二年二月末、突如として隣国ウクライナに武力による侵略を開始したロシアによる筆舌しがたい蛮行について、どのように反応すればよいのでしょうか。

こうしたケースであっても、たとえば「そもそもアメリカが仕掛けたアフガン戦争こそ、帝国主義的な暴挙であり、近代的な国家建設を『善』として押しつけたことじたいが文化的な侵略だった。本来の部族連合社会とイスラーム統治による秩序が回復することは、自治の本来の趣旨であって、部外者が批判・介入すべきではない」というような論調は存在するでしょう。後者のロシアによるウクライナ侵略にさいしても、少なくない論者たちが「ＮＡＴＯの挑発」や「アメリカ帝国主義」のような語彙をもちいてロシアの一方的な侵略戦争を擁護ないし合理化するような言説を展開していました。

しかし理屈の次元はさておき、現実に起きている個別の残酷きわまりない事案について、被害者や犠牲者の存在を知り、その状況を断片的にであれ見聞きしたとき、上記のごとき——結果的に、抑圧の構造や力による蹂躙を追認ないし傍観することになる——理性的な言説をそのまま支持することは、やはりできないでしょう。

シュクラー自身のことばを借りれば、つぎのようにいえます。

〈残酷さの最小化を掲げる〉恐怖に対峙するリベラリズムについて、その方針があまりに「西洋的」で、あまりに抽象的であるなどと言って拒絶するような類の頑迷な相対主義は、きわめて呑気で、きわめて安易に現実世界のおぞましい恐怖を忘れてしまうため、とても信じるに値するものではない。※1

あまりに「西洋的」でも、あまりに抽象的でもない

文化についての相対主義的な見方は、たしかに各文化を尊重するという観点で一定の重要性があ

※1 ジュディス・シュクラー「恐怖のリベラリズム」、『現代思想』二〇〇一年六月号、一三三頁。邦訳を参考にしつつ、原文を参照して訳出しなおしています。また強調の傍点はわたしが付与したものです。

ります。7章ではリベラリズムの基本として、個々人単位での「干渉されない自由」を「消極的自由」として紹介しましたが、同じように文化集団ごとの単位でもそうした自由を認め、異なる価値観（善構想）が共存することをめざそうというのは、そうわるい響きではありません。

しかし、そうした「個人」と「文化集団」とを置き換えた類推がなりたつためには、そもそも集団の構成員が自分たちの文化単位での習俗・慣行について、――個人の習慣と同様に――自己決定している（と思える）ような仕組みがなければいけません。そして、ほとんどの場合に「伝統」の名のもとで営まれる社会システムには、多数派に有利なかたちで否応なく被抑圧的な立場を強いられている個人・集団が存在するでしょう。

まず、やや抽象的なレベルで指摘できるのは、こうした「強者と弱者」からなる構造を「文化」などによって正当化しようとするとき、それを声高に唱えるのは「強者」の側だということです。じっさいのところ、「力」の勾配による不遇や身体的・感情的な苦痛にさいなまれる「弱者」の側が、自身や周囲の身にふりそそぐ「残酷さ」を低減することを望むであろうことは、実情や構造について知ることさえできれば、まちがいないはずだというのがシュクラーの見解です。

ここでの「実情や構造について知る」という条件は、「報道の自由」など民主主義の基本をなす別の主要パーツの整備もふくめ、けっしてかんたんなものではありません。しかし、原理的な可能性としては、つねに構成員が自身の属する集団の規範や慣行について「異議申し立て」できることがリベラリズムの本懐です。そして、この基本原理に由来する体制の不安定さを許容していることじたい、グローバル単位の覇権主義としてリベラリズムをとらえる——あまりに「西洋的」であるという——批判がポイントを外しているといえる根拠になります。

もうひとつ、「あまりに抽象的である」という批判が残っています。私見では、シュクラーの「恐怖に対峙するリベラリズム」最大のポイントは、この批判に対しての応え方にあると思います。つまり、ここまでくり返したように「残酷さ」のような「悪」は、身体的・感性的なものであり、究極的には理論的な説明を受けつけないという点です。ゆえに上記のような抽象的で一般的な説明も可能ですが、シュクラーは、まずなによりも個別具体の「残酷さ」の現場に、それぞれのケースにおける力の不均衡のあり方と抑圧者—被抑圧者の関係性にこそ目を向けるようにうながしているのです。

ことばをもてないことの「残酷さ」

シュクラーは、わたしたちの日常に絶えることのない「悪」に着目することで、「自由」や「正義」といった正しいことばが陥りがちな空転——抽象的で、具体的なケースで考えづらいこと——を避けようとします。これはきわめて実際的な戦略です。というのも、おそらくほとんどの場合において、残酷さにさらされた被害当事者は、それを説明する理論的なことばなどもたないからです。端的にいって、身体的な苦痛のさなかにあって、ひとは理性的なことばをもって苦痛を理路整然と説明することはできません。そしてまた、圧倒的な「力」の勾配にもとづいた抑圧の構造において、理論的なことばを支配するのもまた強者の側です。そうした支配のためのことばを使わざるをえない――それ以外にことばをもたない――弱者は、この抑圧構造から自由にみずからを表現するためのことばをもてないのです。

身体的な苦痛の体験、あるいは現在進行形での抑圧的な社会構造のなかで味わう個々の「残酷さ」について、わたしたちが――自分自身のことについてさえ――表現することばをもちえるとしたら、それは理論ではなく、フィクションやルポルタージュ、詩をもふくむような「物語」ではないかとシュクラーは述べています。

悪というもの、なかでもとりわけ残酷さというものは、どこまでも合理的に説明することができず、ただ物語だけがその意味をとらえることができるのではないか。※2

職業的な理論家であるところの政治哲学者シュクラーが、みずからのリベラリズム概念の中心に置く「残酷さ」について、究極的には理論的な説明ができないと述べ、「物語」に希望を託そうとするこの一節は、とても感慨深いものです。これはシュクラーの理論家としての敗北宣言ではなく、むしろひとりの生身の身体をもった個人としての誠実さでしょう。

シュクラーが示唆するように「残酷さ」に対処するとは、当事者が異議申し立てするためのことばづかいを提供し、そしてそれを可能にするような基本的な「正しいことば」の使用環境を整備することです。しかし、とりわけ前者はそんなにたやすいことではありません。異議申し立ては、多数派にとって耳ざわりのよい、理路整然としたことばで提起されるものではないからです。そもそものはじまりである、自身を表現するためのことばをもたないという剥奪感、そうした境遇で生きるほかないという残酷さは、理論によって説明されるものではありません。

わたしたちは、当事者にとってみずからを表現するためのことばを獲得することが、どれほどの難業になるのかを直接知ることはできないかもしれません。しかし、文字どおりありがたいことに、歴史のなかで苦難とともにつむがれた、じっさいのことばづかいたちから、それを垣間みることができます。

たとえば日本語においては、CP（脳性マヒ）当事者として川崎バス闘争をはじめとした数々の「異議申し立て」をおこなってきた「青い芝の会」の中心人物のひとりである横田弘（一九三三–

※2 Shklar, j. (1984) *Ordinary Vices*, The Belknap Press of Harvard University Press. p.6.

二〇一三）が遺してくれたことばは、その代表でしょう。横田は、当事者による自己表現、文芸もまた重要な運動の領域だとみなしていました。なぜなら、そもそもの出発点として、自分たちはみずからを表現することばをもたない、あらかじめ奪われている、というのです。

私たちの肉体は、生まれた時から、あるいは、ＣＰとして発病した時から奪われつづけてきている。

言葉も意識も肉体のあり方を基として発想される。つまり奪われた肉体であるところのＣＰ者は、常に奪われた言葉と意識でしか物を見ることしかできないし、行動することもできないのだ。※3

この横田の述懐は、シュクラーの「恐怖に対峙するリベラリズム」と共鳴しています。すなわち、圧倒的に非対称的な「力」の勾配があり、社会における持ち分の領域と自己表現をもたないという状況において、ひとはみずからのことばもまた、もちえません。「自分（たち）のことば」を得ることと身体的・社会的な持ち分（権利）をもてることとは不可分なのです。

理論的なことばだけでは足りない

こうした社会的な正義の実現（残酷さの低減）と私的な表現との関係については、シュクラーから影響を受けて同じ用法で「リベラリズム」をもちいようとするリチャード・ローティの語りが参考になるでしょう。彼はシュクラーの議論を念頭に置きながら、つぎのように述べています。

苦痛は非言語的である。すなわち、苦痛こそが、人間存在がもっているもののなかで、言語を使用しない動物たちとわたしたちを結びつけているものなのである。そのようなわけで、残酷な行為の犠牲者、苦しみを受けているひとびとには、言語によって語りうるものはほとんどない。だから「被抑圧者の声」なるものや「犠牲者の言語」なるものは存在しない。犠牲者がかつて使用した言語はもはやはたらいていないし、新たにことばで語るには、犠牲者はあまりにも大きな苦しみをこうむっている。そうであれば、彼女たちの状況を言語に表現する作業がだれかほかの者によって彼女たちのためになしとげられなくてはならないだろう。リ

※3　横田弘『［増補新装版］障害者殺しの思想』、現代書館、二〇一五年、三八頁。

ベラルな小説家、詩人、ジャーナリストはそのような作業に長けている。リベラルな理論家は通例、そうではない。※4

これは一読すると、当事者自身のボキャブラリーに対して酷薄すぎるように思われるかもしれません。自分たち自身の「表現」についてさえ、多くの場合には直接の当事者ならざるその道のプロフェッショナルに任せておけと書いているようにも読めるからです。しかし、さきほどまでのシュクラーや横田の引用をふまえると、この箇所をいわゆる社会的分業のような話としてのみ解釈すべきではないでしょう。つまり、どんな当事者であれ、「残酷さ」の渦中におかれたその時点においては「みずからのことばをもてない」という洞察が、ここにはあります。

残酷さのただなかにあって、ひとはそのもっとも困難なときを、先人たちがつむいだ「物語」やことばによって乗りきることができるかもしれません。そして、そののちになってはじめて、かつての自分という他者のために、あるいは類似した苦難の渦中にある仲間のために、あらためてことばをつむぐことができるようになるのでしょう。

ここで重要なのは、「恐怖に対峙するリベラリズム」において、理論そのものはこうした役割をまっとうできないということです。だからこそ、「残酷さ」に対処していくためには、理論的な「正しいことば」の検討とともに、場合によっては「正しくない表現」が物語や詩としてつむがれる自由の余地を確保しなければなりません。

したがって、シュクラーやローティを参考に「正しいことば」を考えることは、たんなる「ことば狩り」や「ポリコレ棒」とは一線を画しています。それはむしろ、私的な領域における表現の豊穣さを不可欠なものとして求めます。そして、そのためにこそ公的な領域においては「正しいことば」をうまくもちいる必要があります。5章でも論じたように「会話」の豊かさを守るためには、相手を黙らせてしまう——会話における「事故」を誘発する——機能をはたしてしまいがちな「正しいことば」を適切に乗りこなすことが求められるのです。

そしてそのためには、ここで導入されている「私的領域」と「公的領域」との線引きについて、いま一度確認しなければいけないでしょう。それが次章の課題になります。

※4 リチャード・ローティ(斎藤純一・山岡竜一・大川正彦訳)『偶然性・アイロニー・連帯——リベラル・ユートピアの可能性』、岩波書店、二〇〇〇年、一九一-一九二頁。邦訳を参考にしつつ、原文を参照して訳出しなおしています。また強調の傍点はわたしが付与したものです。

10章　「公」と「私」をつらぬく正義

それでも「正義はよいものだ」と言うために

本書では、「正義」や「公正」のような日常的には使いづらいと思われる「正しいことば」について、それらをなんとか使いこなしていくためのテクニックを考えてきました。（くり返し述べてきたポイントは、こうした公共的な理念を表現したことばを、個々人やさまざまなレベルの共同体にとっての「よいこと（善）」とは一線を画するものとして、しっかり使いわけよう、ということでした。）

ここまでつきあってくださった読者のみなさんが説得されたかはわかりませんが、このテクニックのあらましとそのモチベーションについては、ひととおり述べることができたと思います。しかし、まだ正面からあつかえていない重要な論点があります。それは、このテクニックを使うことにデメリットはないのか、という問いにこたえることです。

もう少し詳細にいえば、つぎのような批判にどう応答するかが課題になります。ロールズ流のテクニックを採用したとき、「正義」という公共的理念──「正義の構想」──は、わたしたち個々人や価値観をともにする集団（共同体）単位で構想される諸価値である「よいこと（善）」──「善の構想」──とは一線を画したものになります。そうであれば、少なくとも単純に「正義はよいものだ」とは言えなくなるではないか。そして、そんな「正義」は現実に有効なのか、という批判です。※1

この批判に応えることは、前章で予告したように「公的領域」と「私的領域」のあいだの線引きと両者の関係について、あらためて確認することと重なります。本章では、この検討をつうじて、わたしたちはロールズ流の用法を採用してもなお「正義はよいものだ」と言えるということ、そしてそれはけっして無力ではない、ということを論じていきたいと思います。

社会において両立しえない複数の「善」

まず確認しておきたいのは、いったんロールズ流から離れてごく素朴に考えれば、「正義」という

※1 なお、これはロールズ流リベラリズムに対して、当時チャールズ・テイラーやマイケル・サンデルといったいわゆる「コミュニタリアン」から向けられた批判に相当します。政治思想史における「リベラル・コミュニタリアン論争」として知られた、このいささか噛みあわない議論の総括（第一章）をふくむ、「正義」と「善」の関係について本連載よりも広範に考えたい方には以下の書籍を薦めます。大瀧雅之・宇野重規・加藤晋編『社会科学における善と正義──ロールズ『正義論』を超えて』、東京大学出版会、二〇一五年。

理念もまたひとつの「よいこと（善）」だと思われるという点です。わたしたち自身が心底よいと思っている理念を掲げて、それを公共的な政治目標として位置づけるというステップを踏むことのなにが問題だというのでしょうか。それには、あらためてロールズが「正義」と「善」を区別しようとするモチベーションを再確認しておく必要があります。

これまでも論じましたが、わたしたち個々人や、そしてさまざまなレベルの集団がいだいている、なにが「よい」ことかについての複数の考え（善の構想）はしばしば対立します。たとえば7章では、ロールズに先行する政治哲学者アイザイア・バーリンの「ふたつの自由」論をとりあげ、「自由」という価値どうしが衝突し、両立しないケースについて検討しました。

二〇世紀初頭の東欧ラトヴィアにユダヤ系として生まれ、世界大戦の時代を生きたバーリンにとって、現実社会の政治とはそうした共存しえない数多くの理念を、それでもすり合わせ、調整しながらやっていく営みにほかなりません。そのさいも紹介したフレーズですが、バーリンはつぎのように現実世界をとらえていました。

> われわれが日常的経験において遭遇する世界は、いずれもひとしく究極的であるような諸目的――そしてそのあるものを実現すれば不可避的にほかのものを犠牲にせざるをえないような諸目的――のあいだでの選択を迫られている世界である。※2

もう少し具体的に考えてみます。たとえば「ジェンダー」の観点における不平等の是正をめざすことは、まごうことなく重要で正しい現代の政治的目標ですが、それはときに生殖によって存続可能になるとされる「民族性」やその伝統的価値観を尊重する観点と衝突するということがありえます。はたしてこれらは、どちらかだけが真正の理念だったり、あるいは、それらを両立させる包括的な理念のもとに統合できたりするものでしょうか。

少なくとも現実政治のタイムスパンにおいて、バーリン、そしてロールズはそうは考えません。というのも、社会が現に営まれている以上、わたしたちはつねになんらかの政治的選択をしていかなければならないからです。バーリン自身は先の引用とほぼ同内容のことを、つぎのように強調点を変えながらくり返しています。

偉大なる善（Great Goods）のうちのいくつかは、共存しえないだろう。それは概念上の真理なのである。われわれは〔複数の善からいずれかを〕選ばねばならぬという運命にある。そし

※2　アイザィア・バーリン『自由論 新装版』、三八二―三八三頁。邦訳を基本的にもちいつつ、原文を参照して一部の訳を変更しています。また強調の傍点はわたしが付与したものです。バーリンについて以下も同様です。

ていずれの選択をしたとしても、とりかえしのつかない損失を招くかもしれない。※3

ロールズはこの箇所を引用したうえで、ここで「損失（loss）」とバーリンが呼んでいる事態が生じることは不可避であり、それじたいは不正義や恣意的変更ではないと述べています。※4 「損失」とは、わたしたちの社会でさまざまな個人や集団が多様にいだく基本的な理念や価値（善の諸構想）を、どのように選択と調整をおこなったとしても、どうしても公共的な政治判断としては容認されない、棄却されてしまう「善」が出てこざるをえない、ということです。

ここから、つぎのように重大な懸念が提起されます。つまり、じっさいの政治とはけっきょくのところ支配的な集団の価値観によって営まれており、そこで掲げられる公共的な「正義」とは、つまるところ多数者・強者による「善」の構想にすぎないのではないかという懸念です。この懸念について、現にそうだったと考えられるかもしれないという意味であれば、バーリンとロールズは——ニュアンスの差はありますが——肯定するでしょう。

しかしながら、公共的な政治の営みはそうであってはならないという点でもまた両者は一致します。そしてさらにロールズ自身は、そうではないように構想できるはずだという独自の地平に踏みだします。それこそが、個々人や集団がいだく「善」とは一線を画した手続きによって構想される「公正としての正義」であり、冒頭で確認した両者の使いわけというテクニックでした。

理念が個人を殺戮するとき

さて、本章の冒頭で提起したように、こうした「善」と一線を画した公共的理念としての「正義」を構想するアプローチには、そうした理念がなぜ、どうやってよいものとして正当化されうるのかという疑念がともないます。

ここではまず、バーリンとロールズの両者が共有する「そうであってはならない」という消極的モチベーションから掘り下げましょう。バーリンは、個々人がいだきうるなんらかの「善」構想が、究極的には社会全体ひいては人類・世界にとって真正によいものでありうるという可能性について、懐疑的どころか深刻な懸念を表明しています。それはバーリンのつぎのような歴史的認識にもとづくものです。

正義、進歩、将来世代の幸福、宗教的使命、国民・民族・階級の解放、そして、さらに自由

※3　アイザィア・バーリン（福田歓一・河合秀和・田中治男・松本礼二訳）『バーリン選集4　理想の追求』、岩波書店、一九九二年、一九頁。
※4　ジョン・ロールズ（神島裕子・福間聡訳）『政治的リベラリズム　増補版』、筑摩書房、二〇二二年、二三八頁。

そのもの〔…〕まで、歴史上の大いなる理念という祭壇があり、そこで個人が殺戮されてきたという事実に対しては、何よりもあるひとつの信仰にその責任がある。※5

引用の冒頭に列挙されたようなさまざまな「理念」の旗のもとで、個人単位の命はあまりに軽々と犠牲になってきたという認識は、歴史的記述としても現代においても違和感のないものでしょう。しかし、バーリンはさらに踏み込んで、その責任を負うべきは個別の「理念」そのものではなく、諸理念にかかわる特殊な「ひとつの信仰」にあるというのです。

それはつまり、どこかに——過去や未来、神の啓示、ある思想家の心のうち、歴史や科学の裁定、あるいは無垢なる善良なひとの純心のうちなどに——究極的な解決策がある、という信仰にほかならない。この古くからの信仰は、人類が信じてきたあらゆる積極的《ポジティブ》な価値というものが、最終的には、たがいに矛盾することはなく、そしておそらくは相互に必要としあうものだろうという確信にもとづいている。※6

戦争はその典型ですが、ある理念の旗のもとで駆りだされた個々人が命を散らしていくとき、ひとつの常套表現として「けっして無駄な死ではなかった」というように、死者の犠牲は理念への殉教として意味づけられます。ここで注意したいのは、バーリンはそうした「理念」（さまざまな善の構想）そのものを批判しているのではありません。

ひとにはみな、それぞれに奉じる価値や理念があり、それを守るためにはときに命をかけることさえできます。そして同じような善構想を共有していても、あるひとはそれを放棄・妥協することができてしまうが、別のひとは同じ理念のために身命を差しだしても惜しくないと確信し、じっさいにそうするということがありえるでしょう。

たとえば、同じ宗教の信者たちが改宗を迫られたとき、ある者は棄教し、別の者は殉教するということがあったとして――歴史上数えられないほどあったわけですが――、それは少なくとも今日の社会においては最終的には個人の裁量であったと評することが可能です。しかし、この例において「殉教／棄教」という表現につきまとうように、ほんとうに正しい（かもしれない）もののために生命を投げうつことは、たんに個人の裁量による死と解釈されるよりも、途方もなく価値があるかのように思われるのではないでしょうか。

わたしたちにそう思わせるものこそが、バーリンが糾弾したい「ひとつの信仰」です。個々人にはわからないかもしれないが生命をかけるに値する理念という旗のもとで、若者を死地に送りだす

※5　バーリン『自由論 新装版』、三八一頁。　※6　同三八二頁。

という為政者や主権者の姿は、いつの時代にも珍しいものではありません。

そして、それはあくまで個々人がみずから構想する私的な「善」のために身命を賭すことよりも、もっとずっと残酷なものではないでしょうか。というのも、ここで掲げられる大義は、往々にして為政者や支配層にとっての利害に根ざした「善」の構想が、壮麗で空虚な「理念」として語られたものです。そして、ただ信仰によって啓示される「究極的な解決」という約束手形は、それを示唆する為政者をふくめてだれも現金化してくれることはありません。

「まちがっていたくない」という怯懦《きょうだ》

少し整理しましょう。ここでバーリンが指摘し、憤っているのは、特定の「善」構想がそのまま公共的理念として掲げられることにともなう問題でした。戦争がそうであるように、決定的に対立する集団それぞれが掲げる理念どうしは、それがたとえ同じ字面であれ、両立しえない（だからこそ争っている）という事実があります。

こうした個々の集団・共同体が奉じている個々の理念について、そのためにどれだけ犠牲が出続けていたり、外部から非難を浴びていたりしても、「いずれは正しいことが理解されるはずだ」と内向きに唱えつづけることは、どういった帰結を招くでしょうか。

あるいは、第三者的な立ち位置から、対立する理念どうしについて、「どちらにも理があって、それぞれ正しい」と評するような場合にはどうでしょうか。個別の「善」構想に対して、それをそのままふくむような公共的理念の一部でありうると認めることは、現実における流血を是認し、さらなる殉教を称揚することにつながっています。

バーリンとロールズにとって、社会や政治という営みとは、複数の相容れない「善」構想どうしを調整しながらも、それでもどうしても一部の「善」構想は公的には棄却されるという「損失」が必然的にともなうものでした。

このような社会をいっしょに営むにさいして、特定の「善」構想が、公共的な理念として掲げられているのだとすれば、それは政治の意思決定プロセスに参加しうる主権者のうちでも多数者、より権力に近しい者たちの利害関心に即したものになるでしょう。このことと先にふれた社会において不可避である「損失」とが組み合わさったとき、明らかに特定個人・集団の「善」に資するために抑圧される別の個人・集団という構図が生じ、かつ、この構図が固定化されるという事態が生じます。

さらに、こうした理念や価値だからこその落とし穴があります。わたしたちは程度の差こそあれ自分が参画する社会における基本的な理念を、教育の過程を通じて、それぞれに内面化していきます。そして、それが習慣的に大切にされるものであればあるほど「究極的には、自分たちはそれほどまちがっていないのではないか」と思いたがるものです。

枢要なものとして位置づけられた「善」は、それを変更したり疑ったりすると、ほかにも多くの信念を変更することを余儀なくされます。それゆえに、わたしたちは習慣化された基本的な理念について、それを手放して本来的に「損失」をかかえた不安定な社会にみずからを投げ入れることを避けたがるでしょう。(たとえば宗教的権威を礎とする国家において、その理念の確からしさを疑うことは、家族制度や同胞との紐帯についても再考を余儀なくされるという高いコストを要します。)

こうしたメカニズムがあるとき、「信仰」という空手形によって究極的な正しさの色を帯びた理念はひとを死地に追いやり、そしてそのふるまいがまた殉教の神話を再生産し、さらに強固になるというサイクルができあがります。バーリンが語気を強めるように、これは掲げられた理念および為政者による、共同体に属する個人の「殺戮」でさえあるでしょう。

バーリンは、7章でも論じた「消極的自由」——放っておいてもらえる、干渉されない最低限の自由——が確保される私的領域の重要性を説きました。それは同時にそこで育む個々人の「善」構想が、かならずしもその外側である——おのおの消極的自由を確保するために、おたがいにふるまいに気を配り、その維持をともに構想する——公的領域においては通用するわけではないし、またそうあるべきでもないという不安定さを引き受ける義務とセットになっています。

それはたとえば典型的には、内心の自由(信教の自由)というかたちで確保される自由さが守られるためにこそ、みずからもまた他者に対して信教を強いることはできないという市民的責務を引き受けるということです。こうした近代的な「市民」の姿を、バーリンは同時代の知識人ヨーゼフ・シュンペーター（一八八三－一九五〇）の言に見出します。

自分のいだく確信というものが相対的な妥当性しかもたないということを自覚し、それでもなおひるまずにその信念を唱えること。それこそが、文明人を野蛮人から区別するのだ。※7

そして、つぎのように自分のことばを続けます。

それ〔相対的な妥当性〕以上のものを求めてしまうことは、おそらく〔人間にとって〕根深く、不治の病である形而上学的な欲求というものだろう。しかし、わたしたちがどのような実践をするのかについての最終的な決定を、このような欲求に委ねてしまうことは、同じく根深く、そしてはるかに危険である道徳的・政治的未熟さの症状にほかならない。※8

※7　Shumpeter, J. (1942) *Capitalism, Socialism, and Democracy*, Harper & Brothers. p.243
※8　バーリン『自由論 新装版』、三九〇頁。

バーリンはここで「まちがっていたくない」という怯懦《きょうだ》に由来する「信仰」を捨てることを、道徳的・政治的に成熟した社会の構成員の条件として求めています。ここで「ひるまずに」と言っていることに注意しましょう。もしこの「相対的な妥当性」を字面どおりに受けとったならば、これはよくある価値についての相対主義の表明ということになってしまいます。

しかし、価値相対主義にもとづいた理念の表明――「みなそれぞれに正しい」――であれば、そこには「ひるまない」勇気など必要ありません。相対主義を唱えることはむしろ、もっとも安易で怠惰な、まちがいえない表明だからです。勇気を要するのは、自身が奉じている理念の正しさにコミットし、説明を尽くしたうえでなお、批判に対してはオープンであり、場合によってはみずからが奉じる理念を改訂・撤回しうるという姿勢をつらぬくことです。

こうした姿勢をつらぬく者は、どのようにも構想されうる自分自身の私的な「善」について、なんらかの究極的な正しさにすがろうとすることを、みずから固く禁じます。そして、それでもなお公共的な空間でどうふるまうかについては、そのつどごとに判断し、発言し、その責任は引き受けること。それがバーリンの考える公共的な責務であり、彼の表現を借りるならば「道徳的・政治的な成熟」ということになるでしょう。

「バザール」と「クラブ」

こうしたバーリンの「公と私」の区分は、ロールズが公共的な「正義」構想と私的な「善」構想とを切り離すことに対応しています。両者はここで類似したモチベーションをもっているのです。ただしロールズの場合には、どうしても公共性の単位として「国家」のモデルが考えられているため、「公共的」というレベルを狭い意味での政治的なもの、つまり手続き的なプロセスとして描きます。

そのため本章で掲げた課題――「善」と「正義」を峻別するとき、どうやって「正義」の構想をよいものだと言えるのか、という問い――に対しては、いささかまわりくどい説明を要します。そこでバーリンの文脈にひきつけてロールズを読みながら、かつ明確な「公／私の区分」を提唱しているリチャード・ローティを介して、この問いにこたえてみたいと思います。

ローティは、このふたつの領域をじっさいに地続きでありうる現実の空間領域にたとえています。すなわち私的空間とは「英国紳士のメンバー制クラブ」のようなものであり、公的領域とは「中東のバザール（市場）」のようなものだというのです。

わたしたちは、多くのメンバー制のプライベート・クラブにとりかこまれた、ひとつのバザ

ールというモデルから〔公と私を区別する〕世界秩序のあり方を打ち出すことができる。※9

この比喩では、みなが共有するただひとつの公共空間たる「バザール」がつぎのように描写されます。

わたしはそのバザールにおける多くのひとびとが、商談相手とまったく同じ信念を共有するくらいなら死んだほうがましだと思いながら、それでもなお有益な商取引をしているようすを思い描く。こうしたバザールが〔…〕なんらかの共同体などではないことは明らかである。※同前

じっさいのバザールが（おそらく）そうであるように、市場を行き交い、思い思いに商談したり、冷やかしたりする無数のひとびとは、なんらかの「善」構想を共有するようなひとつの集団（共同体）ではありません。公共空間たるバザールには、その場所に高いメンバーシップをもつ個店の店主や顧客もいれば、流れの行商に新規客、よそ者、そしてスリに至るまで、おのおのがいだく目的においてまったく一致しないようなひとびとが無数に集ってきます。

こと商談という営みをいっしょにおこなう買い手と売り手にしても、その利害や思惑は対立しま

す。さらに両者は相互に相容れない信仰をいだいているかもしれませんし、ほとんどの場合には取引以外ではなんの接点もないような間柄であるでしょう。しかし、それでも必要や利害関心が折りあった結果として、その店の軒先で商談という共同行為にのぞむわけです。これこそが公共的な空間です。

ローティは、生活上の必要から公共空間たるバザールに日々訪れて商談をせねばならないような立場にある店主を主人公として、その一日をつぎのように描きます。

> 〈店主である〉あなたに必要なのは、市役所や八百屋、そしてバザールに、どうしようもないほど自分とは異なっていると思わざるをえない人物が現れたときに、自分の感情をコントロールする能力だけだ。そんなことが起きたら、あなたはほほえみを絶やさず、できるだけうまく切り抜け、それからつらかった一日の仕事を終えたあとで自分のクラブへと退散する。あなたはそこで〈善の構想を共有する〉道徳的な仲間たちと交友し、心を安らげるだろう。※同前

公共空間たるバザールでは、居心地が悪く、心穏やかではいられないような人物との商談という

※9　Rorty, R. (1991) *Objectivity, Relativity, and Truth: Philosophical Papers volume1*, Cambridge University Press. p.209.

共同行為を余儀なくされることも珍しくありません。そこでは、内心がどうあれ、商売上の必要性やせいぜいマナーの観点から、愛想笑いを浮かべ、社交的にふるまう必要があります。

しかし同時に、わたしたちには、そこから「退散」して駆け込むことのできる私的空間――基本的な価値観（善構想）を共有しており、したがって容易に共感でき、また共感されることによって安らぎを得ることができる――「メンバー制のクラブ」があります。そこは、気心の知れた間柄ならではの直截で、たがいを慮った豊かな会話がなされ、それぞれの人生観や信条にたちいった深いコミュニケーションが営まれうるような場です。

あるときには、その場での仲間うちの軽口として、今日お店にのこのこやってきた「へんなヤツ」への揶揄や愚痴が飛び交うかもしれません。そのさい、バザールではとても大声でしゃべれないが、その場には気にする者がいないはずの侮蔑的表現が口をつくことさえありそうです。度が過ぎていたり、場合によってはクラブの責任者や仲間からもたしなめられるかもしれませんが、しかし、そこがメンバー制のクラブであり、翌日の市場になにももちこされないのであれば、それはその場限りの会話としてさほど問題にならないでしょう。私的空間とは、そうした場でもありえます。

比喩による「公／私」の整理とその限界

ローティによる「バザール」と「メンバー制クラブ」という比喩が秀逸なのは、それぞれの魅力ばかりでなく、公共空間のしんどさや私的空間の危うさまでもが、明確にイメージできる点にあると思います。

バザールは、商売という——おたがいが自分にないものを相手に求める——共同行為をなりたたせるというほぼ唯一の共通目的があり、そのもとで神経をすり減らす駆け引きや、心にもない愛想笑いや追従をせざるえないことも少なくありません。また、商売がなりたつためには、相互信頼はもちろん、そもそもの治安環境の維持など、ハードとソフト両面でのインフラ整備も必要となります。そして、この「インフラ整備」こそが、バザールにおける「正義」に相当する公共的な関心事にほかなりません。

他方、クラブではわたしたちは仲間うちでくつろぐことができますが、同時にやはり——この比喩の場合、字面どおりホモソーシャルな空間として——新規参入者やメンバー外の者にとっては閉鎖的で、ときに敵意や脅威をかきたてられるものでもあるでしょう。もしかすると、メンバー内にもじつは居心地悪く感じているという者がいて、そのうちにひっそりといなくなるかもしれません。

私的空間であるクラブの場合、バザールを統べていた商売の成立のような「共通の目的」はなく、強いていえば仲間うちでのコミュニケーションによる情動的な快適さそれじたいが、めざされている価値、すなわち「善」といえるでしょう。

言うまでもなく、「バザールとクラブ」という比喩は単純化が過ぎており、このようにはっきりと空間的に隔絶し、メンバーシップも重複しないかたちで「公／私」が切りわけられた空間というのは現実的ではありません。じっさいには市場だろうと会員制クラブだろうと、私的なものと公共的なものがないまぜになっており、同じ空間であっても時と場合によってその配分が変わります。

とりわけ今日のサイバー空間に現出する多くの「場」については、「公／私」の線引きについて合意することとさえ難しいでしょう。たとえばソーシャルメディアのタイムラインはどちらの空間に属しているのでしょう。タイムラインはだれもにみえる言説の場ですから、それが公共空間であるということにしたとして、では同じソーシャルメディアでも個人間でダイレクトメッセージのやりとりするのは私的空間における言説でしょうか。あるいは「鍵つき」アカウントどうしのやりとりはどうでしょうか。

インターネット環境があり、アカウントさえ作成すればだれもが不特定多数に向けて自分の声を発信することができるソーシャルメディアは、その面において、まちがいなく現代でもっとも広大な公共的言論空間でしょう。しかし同時に、それは特定の私企業が営利目的で運営する媒体でもあります。そのため、ソーシャルメディアの各種機能を使って、関心や趣味が一致して気のあう――すなわち同じような善構想をいだいていると思しい――「道徳的な仲間」を見つけだしては、たがいに毛づくろいをするような「メンバー制クラブ」めいた使われ方も現におこなわれています。

近年とりざたされ、しばしば問題になるソーシャルメディアにおける言説が起点となったトラブルのほとんどは、この発言がなされている場は私的な空間ととらえてよいのか、それともあくまで公共的な空間なのかという、場の位置づけについての齟齬に由来しているとさえいえるのではないでしょうか。

バザールの「正義」

このように、ローティの比喩には無理があることもたしかですが、それでも良質な比喩は、考えを進めるための示唆を与えてくれます。本章の最後に、この比喩に依拠しながら、当初に立てた問いであった、どうすれば「正義はよいものだ」と言えるのかについて考えてみましょう。

公共空間（バザール）における「正義」の構想とは、商売・交易というひとりでは――また同じものしかもたない集団内では――なしえない協働をできるだけ安定的に営むことを可能にするための条件を整備する、いわばインフラにかかわるものだと先に述べました。

これはロールズのモデルがそうであるように、私的空間（クラブ）で共有されている「善」の構想とは一線を画したものです。というのも、基本的な善構想の一致がメンバーたる条件になっているクラブにおいては、そもそも原理的に不安定な協働を支えるというモチベーションが出る幕はないからです。

では、この一線を引くことによって、バザールにおける「正義」を「よい」と主張することはできなくなるのでしょうか。たしかに、さきほどの比喩における主人公（店主）が、自身の私的な善構想としてコミットしている諸価値のなかに同じものは不要かもしれません。バザールの持続可能性など度外視して、短期的に私欲を追求して破綻を迎えるまえに撤収することを目論むという戦略にも、一定の合理性があります。

しかし、それでも公共空間としてのバザールを維持していこうとしている――あるいはやっていかざるをえない――多くの構成員がいるとき、たとえその場限りのとりつくろいであれ、最小限のインフラ整備については同意せざるをえないでしょう。そして、この程度のことであれ、それはバザールにおける「正義」へのコミットとして認められてよいものなのです。

もし、それが認められないのだとすれば、それは批判者が暗につぎのような前提を置いている場合です。すなわち、「私的な空間において仲間たちと心から共有しうる善構想こそが真正のものであり、公的空間において要請される条件を満たすためだけに正義の構想を支持することは真正ではない」という前提です。

こうした前提が、本章の前半でバーリンが徹底して批判していた「ひとつの信仰」の亜種であることは明らかでしょう。わたしたちが公共的な理念にコミットするということは、その理念を、身命を賭すに足る永遠不変の真理として、全人格的に没入するということではありません。むしろバーリンが説くように、積極的にそうあるべきではないのです。公的な理念について、究極的には私的な善構想と一致するはずだと信じるのは――バーリンのことばを借りれば――、それこそ「道徳的・政治的未熟」にほかなりません。

公共空間であるバザールの「正義」は、わたしたちがその場から退出できないという条件において――そして、バザールならいざ知らず、現にともに生きているこの社会からは退出することができないわけですが――、たとえポーズとしてでもインフラ整備と調整が「必要である」と認めることによって、まずはその最小限の意味あいにおいて「よい」ものだと言えるのです。

ここまでが、どうすれば「正義はよいものだ」と言えるのかという問いに対しての、まず穏当な、ひとつ目の応答です。しかし、ここまでの話題をふまえると、もうすこし突っ込んだ応答が可能になるかもしれません。

わたしたちが生きる空間で響く複数の声

すでに確認したように、わたしたちが現に生活している時空間を、私的空間と公的空間の二種類にすっぱりときれいに分割することはできません。じっさいのところ、わたしたちは両者が浸透しあった空間に生きています。では、この比喩が物語っているのはなんなのでしょうか。

それは、わたしたちは時空間的にはひとつの連続した世界を生きているのですが、そのなかで、私的と公的という相互に異なって相容れない複数のことばづかいを使いわけながら生きているという、端的な事実を表現しています。そして、これらの複数のことばづかいのうち、どれが真正のものなのかと問うことになんの意味があるのでしょう。あえていえば、どれもが真正のことばづかいであり、ただ使われる目的や場面が異なっているのです。

バザールの「正義」、公共的なことばづかいがめざす目的とはなんでしょうか。それは先にふれたように、そもそも善構想を共有していないような間柄での商売・交易という協働を可能にすることでした。

そのためには、さまざまな条件を整える不断の努力が必要です。そして、こうした条件をもっとも脅かすものの典型となるのが暴力であり、それがもたらす苦痛であり、公然と行使される残酷さにほかなりません。

「残酷さ」については8章から9章でとくに論じましたが、重要なのは「残酷さ」の行使こそ、バザール（公的空間）ばかりでなくクラブ（私的空間）でなされる会話にとっても、その存立を脅かすものであるという点です。

つまり、ここでは少なくとも「なによりまず残酷さを低減せよ」というかたちで説かれる正義の構想については、私的なことばづかいから公的なことばづかいまで、両方をつらぬくかたちで要請されうるのです。

ここでの正義の構想とは、特定の理念こそが真正によいものだと説いたり、複数の理念をすりあわせて理論的に洗練させたりしたものではありません。そうではなく、どんな理念を唱える場合にも不可欠であるような身体的・精神的な条件を破壊するような力の行使、残酷さの発露について、まずはそれを止めようとすることです。

この意味において、こうした正義の構想それじたいについて、それは個々の理念と一線を画して重要であり、端的によいものだといえるでしょう。

もっとも、こうした残酷さへの訴えには「共感」という障壁があります。同じような事態が生じているのに、だれが被害を受けているのかによっては、それを制止しようとする声の大きさと実効力が変わってしまうことは、歴史が示すとおりです。であれば、この構想もまた公共的な「正義」

としての資格を欠くことになるでしょうか。

また、そもそもわたしたち全員にとっての利害関心にかかわるものである社会の運営方針を指している公共的な「正義」のあり方は、わたしたちの私的な諸信念とどのようにかかわっている、あるいはどのようにかかわっているというべきなのでしょうか。

本書に残された大きな課題として、次章以降ではこれらの問いについて考えたいと思います。

11章　「公正」というシステムの責任者

「公正としての正義」という仕組み

本書第Ⅲ部において問題にしているのは、1章でみたようなロールズ流の「正しいことば」の使い方である（公共的なものとしての）「正義」と（私的にいだかれる）「善」の区別というテクニックを採用したとき、両者はどのような関係にあり、どのように使いわけられるのだろうか、ということでした。

この問いに対して、前章では「公／私」の領域を区別するというローティの図式を引きあいに出しつつ、バーリンの「道徳的・政治的成熟」というフレーズにも依拠しながら、「正義」と「善」が一致する必要はない――むしろ一致させようとするべきではない――という結論をさまざまな角度から提示してきました。そのうえで、両者をつらぬく原理として「残酷さ」に着目する可能性を検討しています。ここまでの理路についておおまかに納得いただけたとしても、まだ大きな課題がふたつ残っています。

ひとつは、こうした「公／私」の線引きをしたとき、それでは公共的な「正義」について、そこで実現されるべき「公正」について、わたしたち個々人はどんな貢献をすることができるのか、そしてまた、どのような責任をもっているのか、という点です。もうひとつは、個々人のいだく「残酷さ」に訴えることで「公正さ」への感覚が機能する可能性についてここまで確認しましたが、この路線に立ちはだかる大きな障壁をいま一度確認することです。それはつまり「共感」の問題です。言い換えれば、「わたしたち」と言うときの範囲をめぐる課題です。

本章では、このうち前者の課題に焦点をあてます。前章では「正義」のあり方について、「バザール」としての公共空間を成立させる「インフラ（ストラクチャ）」なのだという表現をもちいました。この比喩が示すように、公共的な構想としての「正義」ないし「公正」とは、まさしく個々人が一定の負担を分かちあい、社会単位でメンテナンスをおこなうべき共有財としてのインフラであるということができます。

ただ、この比喩もうまくいっている点とそうではない点があります。まず、ロールズが構想した「公正としての正義」というものが、属人的なものではなくインフラのように絶えず作動しつづけるべき「仕組み」や「構造」あるいは「システム」であるという点はきわめて重要です。その点でこの比喩はすぐれています。しかし、重大な齟齬もあります。というのも、具体的なインフラ（道路や上下水道、ダムなど）であれば、それらが劣化したり、機能不全を起こしたりすることについての責任は、第一にそのインフラを管轄する行政や行政から公認・委託を受けた事業者に求められます。わたしたち市民ひとりひとりは納税などの間接的なかたちで、これらの共有財についての負担を分かちあっており、その意味においては一定の責任をはたしているということはできますが、少なくともインフラの維持や改善について、個々人がたえまない責任を負っているとまではいえないでしょう。

しかしながら、社会における「公正」を実現しつづける「正義」の仕組みについても同じように考えてよいでしょうか。いままさに不公正に晒《さら》されており、明らかに改善されるべき境遇に追いやられているひとがいるとき、そのような不正義がまかり通る社会の一員であり、改善のための行動が可能であるはずのわたしたちには、なんらかの責任があるのではないのでしょうか。

「正義」とは構造の問題である

この課題に直接とりくんでいくまえに、まずここまで依拠してきたロールズ流の「公正としての正義」の用法にたち返って、基本的なところをおさらいしましょう。第Ⅰ部において論じたように、ロールズが提唱する「公正としての正義」の最大のポイントは、わたしたち個々人がいだく価値観や心情、すなわち「優しさ」や「思いやり」とは無関係に、社会という「みなでとりくむ命がけの挑戦《コーポラティブ・ベンチャー》」

にとりくむために求められる条件とルールとしての「正義」を構想するのだ、という点でした。

これによって、個々人のいだく「善（なにをよいとみなすのか）」についての考え方（善の構想）――良心や道徳、信仰など――とは切り離して、どんなひとにとっても無関係ではいられない公共的な関心事として、社会秩序についてのあるべき姿を構想する「正義」の話をすることが可能になります。そのときロールズ自身が提唱するのが「公正（fairness）」という尺度でした。

重要なのは、「正義」をめぐる会話の主題となるのは、個々人の内面はもちろん、各人のひとつひとつの行動の是非ではなく、「社会」という単位を支える基礎となる諸制度とその運用をどうするのかという構造のあり方だということです。正義とは個々人の問題ではなく、あくまで構造の問題なのです。

こうしたロールズ流の「正しいことば」づかいのテクニックには、メリットとデメリットが双方ありました。まずメリットに目を向けると――本書を通じて述べてきたことですが――、この「使いわけ」によって、わたしたちはいまよりもずっと負荷なく「正義」や「公正」といったことばを使いやすくなります。つまり、自分のあり方を責められたり、行動について細かく指令されたりといった、個々がいだく「善の構想」に対して直接的な負荷をかけられることなく、公共的なルールじたいはどうあるべきなのかを話しあうことができるようになるのです。

こうした「風通しのよさ」の対極にあるものとして第I部3章と4章で検討したのが、「道徳としての正義」でした。とくに3章では、日本の道徳教育がそうした理路をとっているのではないか、という懸念を具体的に「学習指導要領」を読みながら検討しました。「社会正義」の実現という反論の余地のないお題目に向けて、個人の内心のあり方や「思いやり」のような感情的リソース――「感情労働」ということばがあるように、これもまた個々人にとって有限な資源であり、強いられれば消耗するものです――を方向づけられ、努力を求められるのがしんどい、という感覚は多くのひとが共有するものだと思います。

「合理的配慮」の問題

こうした「しんどさ」が、とりわけ日本語において「正しいことば」を使いづらくしているのではないかと思われる典型的な表現があります。それは、「公正」とも関連づけられてよく登場する「配慮」、より正確には「合理的配慮」ということばです。このフレーズは、もとは心身機能に不具合をもつひとが、さまざまな社会的障壁によって生活上の制限を受けている状態を解消するために必要なものとして登場しました。

この「合理的配慮」ということばが広く使われるようになった源流をたどると、一九九〇年にアメリカで制定された「障害をもつアメリカ人法（ADA：Americans with Disabilities Act）」に行き着きます。この法律は、上述したように「障害」というものを「心身の機能における不具合」という要素だけでなく、それによって生活上の不自由を強いる社会的制約の側をこそ問題視する「障害の社会モデル」を提唱したものでした。
たとえば視力の低下という現象は、まぎれもなく身体機能の不具合です。しかし、現代社会では視力低下は「障害」には数えられないでしょう。それは、廉価でどこでも入手できるメガネやコンタクトレンズといった社会的インフラがあるゆえです。逆にいえば、こうした社会的インフラがない場合、視力の低いひとはさまざまな障壁に悩まされ、生活上の制限を受けるでしょう。「社会モデル」では、この状態を「障害」ととらえます。つまり「障害」とはたんなる心身の機能の問題ではなく、社会の側がそれにともなう障壁に対処するか否かによって生じる事態のことなのです。※1
こうした「社会モデル」に立つと、「障害」という状態を解消する責任は社会の側にあります。それを指しているのが「合理的配慮」というフレーズでした。このモデルは、二〇〇六年に国連で採択された「障害者権利条約」においても受け継がれ、この条約を批准した日本で二〇一六年に施行された「障害者差別解消法」にも「合理的配慮」は明記されています。この国内法において、「合理的配慮」は国や自治体においては法的な義務、民間企業・事業者については努力義務として課されています。（なお、民間企業が「努力義務」にとどまっていることは、そもそも行政と民間の区別を設けていない「権利条約」からすると相当に後退していることが指摘されていました。こうした議論も受けて、二〇二一年三月に成立し、二〇二四年四月に施行される改正障害者差別解消法では、民間企業の合理的配慮についても「法的義務」となっています。）

「合理的配慮」は、こうした起源があることばですが、おそらく現在の日本語では当初の文脈にとどまらず、「多様性に配慮する」などといった用法で、幅広く使われているようです。そして、このフレーズにともなって派生しがちなのが、「多数者側が少数者に配慮しなければならない」とか「こちらは配慮してあげる側である」といった負担感をともなったことばづかいではないかと思います。現在、こうしたことばの連想によって、「公正・公平」や「ダイバーシティ&インクルージョン（多様性と包摂）」といった広く流通する「正しいことば」について、漠然とながら「疲れてしまう」「一方的にふりかざされて面倒くさい」「しんどい」という感覚がつきまとっているのではないでしょうか。

※1　ここでの「障害の社会モデル」についての記述は、ごく簡略化した不十分なものです。関心をもたれた方は、以下の書籍などを参考にしてください。飯野由里子・星加良司・西倉実季『「社会」を扱う新たなモード――「障害の社会モデル」の使い方』、生活書院、二〇二二年。

「配慮」ではなく「調節」

こうした状況診断について、おそらく少なくない読者の方に、自身や周囲のことばづかいの感覚に思いをはせつつ同意いただけるのではないかと思うのですが、じつはわたし自身は、この状況はかなりの程度で訳語の選び方に問題があるのではないかとも思っています。つまり、もとの原語のニュアンスに照らせば、これらの連想はたぶんに「誤解」ないし「ミスリード」されているのです。

まず「合理的配慮」について、その定義を確認しておきましょう。国連で採択された「障害者権利条約」の第二条に定義がありますので、外務省ホームページにおける和文を、一部原語（英語）を補いながら紹介します。

「合理的配慮（reasonable accommodation）」とは、障害者が他の者との平等を基礎として全ての人権及び基本的自由を享有し、又は行使することを確保するための必要かつ適当な変更（modification）及び調整（adjustments）であって、特定の場合において必要とされるものであり、かつ、均衡を失した又は過度の負担を課さないものをいう。※2

ここで「配慮」の内実として言い換えられているのは、（必要かつ適当な）「変更」および「調整」です。おそらくはこれらの訳語との兼ねあいから「配慮（accommodation）」という語が選ばれているのだと思いますが、英語の「accommodation」も、本来であれば「調節」や「適応・順応」、あるいは「便宜」といったあたりが最初の候補になるような単語です。

たとえば慣用表現で「accommodation ability」という場合には、「（眼の焦点を合わせる）調節力」を意味します。まさにこの眼の焦点を合わせる調節力のように、個人の努力や感情的リソースを要するような能動的アクションではなく、機能がうまく働いているならば自動的に作動する機構を意味するような単語です。

もし、こうしたニュアンスをくんで「しかるべき調節（reasonable accommodation）」とでも訳出したならば、少なくとも「配慮」という語彙にともなう「しんどさ」の連想という回路は、ある程度ストップできるのではないでしょうか。こうした「調節」は、もちろん社会の有限なリソースによって負担するものではありますが、しかしロールズの「公正としての正義」と同じく構造ないしシステムをどう整備し、メンテナンスするのかという公共的な問題なのです。

※2 「障害者の権利に関する条約」(https://www.mofa.go.jp/mofaj/gaiko/jinken/index_shogaisha.html)。なお強調の傍点はわたしが付与したものです。

このように理解されたならば、少なくとも「配慮」ということばにともなう負担感、息苦しさからは自由になることができます。なぜならば、こうした「しかるべき調節」は、端的に個々人がいだく「しんどさ」とは無関係に、粛々と作動するべき公共的なインフラにほかならないからです。ロールズ流のことばづかいを採用したならば、わたしたちは「正しいことば」を自分の負担感や葛藤とは関係なく、――過度に「自分ゴト化」しないという意味において――無責任に使ってよいのです。この責任は、あくまで社会全体で負担しあうものだからです。

ロールズの「正義」構想のデメリット

ここまで、ロールズ流の「正しいことば」づかいテクニックの「メリット」に注目してきました。しかし、このメリットとちょうど裏表の関係になる「デメリット」もあります。つまり、まさにさきほど書いたように「公正としての正義」という社会構造を対象としたマクロな構想は、社会の構成員であるわたしたち個々人の日常のミクロなふるまいという次元において、わたしたちにはどのような責任があるのか、そしてわたしたちはどのようにふるまうべきなのかを評価し、掣肘《せいちゅう》するような原理にはなりえないのです。

もうすこし具体的にいうと、ここでのロールズ流の「正義」構想への批判はつぎのようになります。ロールズが掲げる「公正」という基準に照らせば、どのような政策を支持すべきかについては――必要な事実やデータとそのアクセスが整備されてさえいれば――、ある程度は判断することができるでしょう。また、どういった制度整備が必要なのか、「正しいことば」にもとづいた言説を展開することもできます。

しかし、投票行動や制度整備への提言のような狭義の政治的なアクション以外にも、わたしたちは日々無数の判断をおこない、行動を起こします。それらひとつひとつにもなんらかの公共的な責任をもつべきではないのでしょうか。また、「公正」というシステムが適切に駆動し、その機能を改善・拡充するために市民個々人ができる貢献があるのではないでしょうか。

たとえば、わたし自身は現代日本で「男性」という性を割り当てられて生まれ、それ以来、性自認について悩まされることなく育ちましたが、この「シス男性」という属性によって、多くの面で「力」の勾配の高み側に立ち、さまざまな恩恵を不公正《アンフェア》に受けてきたという自認があります。（もちろん、このことは「男性」ゆえに味わう苦難の可能性やその体験を否定するものではありません。そして両者を考慮に入れたとして、社会の構造レベルでは、明らかに男性優位の「力」の勾配は存在していると言わねばならないでしょう。）

こうした認識にもとづいて、一個人としてすこしでも不公正を是正したいと考えるとき、「公正としての正義」の原理はなにを示唆してくれるでしょうか。少なくとも関連する政策を吟味して投票行動をふくむ意見表明をしたり、こうして「正しいことば」をもちいて自分の考えを発信したりすることについては、その方針を示してくれます。しかし、日常のふるまいについて、どうすべきなのか具体的な方針や指令を与えてくれるわけではありません。これはちょうど「メリット」のほうで掲げた「風通しのよさ」のもつ負の側面ということができます。

したがって、ロールズの「正義」構想を採用して「正しいことば」の使い方を習得し、マクロな構造レベルでしかるべき政治的な責任をはたすことと、日常の生活においてパートナーにケア労働を押しつけたり、個別具体の場面でしかるべきミクロな格差是正のためのアクションを起こさなかったり、というタイプの無責任さが理論的には両立することになってしまいます。だとすると、やはり具体的で現実的な公正さの実現に資する原理として欠点があるのではないか、という批判が成立するわけです。

問題は「構造的不正義」である

このタイプのロールズ批判は、ひとつの定番になっており、いささか彼の議論を単純化しすぎているところはありますが、趣旨としては妥当なものだと思います。こうした批判をふまえつつも、「正義」は構造を主題にすべきだというロールズの洞察を発展的に受け継いでいるのが、政治哲学者アイリス・マリオン・ヤング（一九四九－二〇〇六）です。

ヤングは、ロールズ同様に「構造的な不正義」こそが政治の問題なのだと考えています。しかし同時に、ロールズが「構造」と呼んでいるものがあいまいで、社会的「分配」にかかわる政治と制度を硬直的に考えすぎだと指摘します。彼女は、マクロな社会構造における政治とミクロな日常実践のレベルでのふるまいとが地続きであると考えたうえで、なお「構造的な不正義」側を主題として、そのために「正しいことば」を運用しようとするロールズの姿勢を評価します。

〔社会〕構造上のプロセスを理解すれば、個人の行為が不正を持続させたり、あるいは弱めたりすることに加担しているのは明らかである。この点において、コーエンとマーフィー〔らロールズの批判者たち〕は正しい。しかしながら、構造上の〔政治的〕プロセスについての道徳的見地と、よりミクロで直接的な関わりについての〔日常の実践における〕道徳的見地とを区別するのには、重要な理由がある。※3

※3　アイリス・マリオン・ヤング（岡野八代・池田直子訳）『正義への責任』、岩波現代文庫、二〇二二年、一一〇－一一一頁。〔〕による補完挿入と強調の傍点はわたしが付与したものです。以下も同様です。

ロールズがこの区別にこだわる「理由」は、社会の基礎構造となる諸制度はひとびとの暮らしの見通しにあまりに大きな影響を与えるからです。それは、個々人のあいだのささやかな善意や善行（あるいは悪意や悪行）によって覆るようなものではありません。問題はあくまで「構造的な不正義」の是正なのです。そのためにロールズは、個々人のあいだで流通する「善」構想のレベルとは区別された「正義」の次元を用意したのでした。それは、すべてのひとがそのただなかで生きざるをえない社会構造としての諸制度を評価し、批判するために特化した、まさに専用のボキャブラリーなのでした。

ヤングは、ここまでのモチベーションについてロールズと一致します。しかし、ヤングは「構造的不正義」とここでの「（社会的）構造」というものを、より高い解像度で、かつそれが成立するプロセスをふくめて理解しようとします。

> 大勢の人びとに不正義を生みだす構造上のプロセスとは、〔ロールズが想定するように〕諸制度の小さな集合を必ずしも意味しておらず、〔…〕日常の習慣や選択された行為を含んでいる。社会構造は、社会の一部ではない。むしろ、社会構造とは〔…〕人びとの間の関係や、お互いの関係性のなかで人びとが占める立場のパターンに対する見方を含み、つまり、その見方によって可視化されていくものである。※4

ここでヤングが述べているのは、「構造的不正義」はたしかに社会制度によってもたらされるが、しかしそうした不正義が成立し、そして解消されることなく放置されているのは、たんに制度の問題ではなく、そうした状況を受け入れて日々ふるまっている個々人の相互行為の集積の結果でもあるということです。構造的不正義の成立と未解消について、わたしたちはみな一定の責任を負っています。しかし――ロールズのことばづかいの肝になる部分ですが――、この責任は、不正義の直接的な原因として個々人を名指すものではなく、また実際問題として、そのようにミクロなレベルでの数限りない行為のひとつひとつに責任を帰属することはできません。

「公正としての正義」を駆動させつづける責任

ここでヤングがみせるテクニックは、本書ではすでにおなじみのものです。つまり、適切な「区別」を設けるのです。彼女はこうした構造的不正義についての「責任」を、つぎの二種類に区別します。ひとつは過去遡及的な責任であり、もうひとつは未来志向的な責任です。

※4 前掲書一二〇頁。

前者は、いわば「犯人探し」です。なぜこうした構造的不正義がたち現れ、そして放置されているのか、過去のプロセスを遡って原因を特定し、かかわったひとびとや諸制度にそれぞれ責任を割り当て、その重さを認定するわけです。ヤングは――ロールズと同様に――こちらのタイプの「責任」を個々人に問うことはできない、と考えます。というのも、そもそも構造的不正義について、個々人が因果的な意味で担うべき責任というものを、適切に割り当てることなどできそうにありません。

さらに、ロールズが危惧したようにこうした「犯人探し」と「罪責」化は、私的な「善」と公共的な「正義」のボキャブラリーをごっちゃにしてしまい、後者を自由に運用することをさまたげてしまいます。ヤングはこの点で、ロールズのテクニックの肝を押さえているといえます。

では、後者の未来志向的な「責任」はどうでしょうか。こちらは、過去遡及的な責任の割り当てが実践的に成立しないとしてもなお残っている「わたしたちは、この構造的不正義をもたらし、現存させているプロセスに、なんらかのかたちではかかわっている」という直観に根ざしています。具体的に責任帰属をされ、責められるわけではないのですが、――むしろ、だからこそ――わたしたちは、現状の構造的プロセスを変化させ、不正義を解消していかなければいけないという未来に向けた責任を、みなで分有しているのです。

後者の「責任」に絞れば、ロールズ流テクニックのメリットを享受しつつ、同時にデメリットについては前向きな可能性を提示することで打ち消す路線がひらかれてきます。「合理的配慮」ならぬ「しかるべき調節」は、この未来に向けた前向きな責任によって進められるものなのです。

こうしたヤングによるロールズ正義論の発展的改訂は、本書がここまで試みているシュクラーの「残酷さの最小化」という原理を「公正」の内実に組み込むアプローチと重なるところが多くあります。いずれもポジティブな理念ではなく、ネガティブな現実のほうに焦点を当て、しかしそれを断罪するのではなく、どうやってよりましなものにしていくのかに注力するという路線をとっているからです。

そうすると、ヤングの改訂路線もまた、本書のここまでの路線と同じ課題に直面することになるはずです。それは、最後まで残されている課題ですが、けっきょく「未来に向けた責任」を分有するとされる「わたしたち」とはだれのことなのか、その範囲が問題になるのです。そういうわけで、いよいよ最後に積み残した課題に向かうことにしましょう。

12章　正義をめぐって会話する「われわれ」

だれが「われわれ」なのか

ここまで、本書を通じてずっと「正しいことば」の使い方を考えてきました。それは、広い意味で「政治」といえること——つまり、どうやって異なる利害をもったわたしたちがいっしょになって社会を営むことができるのか——をめぐって会話をするために必要なテクニックともいえるかもしれません。最後に、こうしたことばを使って会話し、共生する「われわれ」という単位について、あらためて考えてみたいと思います。

この話題は、じつのところこれまで直接的にあつかうことを慎重に避けてきた（逆にいえば、間接的に問題の輪郭についてはふれてきた）のですが、ロールズ流のことばづかいテクニックにとって、ある意味ではもっとも根本的で重要な課題がひそんでいます。ここまで経路をたどって、ようやくこの話題をあつかう準備がととのいました。

さて、まずはその「慎重に避けてきた」輪郭について、本書全体をふりかえるところからはじめてみましょう。本書1章では、つぎのように政治という営みを表現しました。

わたしたちが社会という単位で、どのような構想を「正義」として選び、また合意を形成するのか。そのプロセスじたいが、まさしく政治なのです。

　また2章では、上述の表現に登場したようなロールズの考える「社会」の姿として、「みなでとりくむ《コーポラティブ》命がけの挑戦《ベンチャー》」という表現を紹介しました。こうした表現によって、社会の構成員である「わたしたち」を、それぞれに異なった利害関心（interest）をもち、なにを「よい／財（good）」とみなすかについて対立しうる考え方（「善の構想」）をいだいているようなひとたちだという理解を示してきたわけです。では、これをそのまま冒頭の問いにおける「われわれ」だと言い換えてよいものでしょうか。

　たしかに――そしてまさにここまで「慎重に」ことばを選んできたように――、この表現それじたいはだれも排除しないような、現に多様な社会の構成員すべてをふくみうるような表現です。しかし、先に紹介したとおり「正義」をめぐっては、それを選びだしたり、合意をしたりするというプロセスがありました。そのプロセスのおりおりで営まれるのは、ほかでもなく（5章で検討した）「会話」でしょう。そして、そのときどきの「会話」には、それをおこなえる（望めば参加できる）

メンバーという単位があります。

ここで問題にしたいのは、具体的な意味で会話に参加しているか否かということではありません。たとえ時空間的にはその場に同席していたとしても、「自分はこの会話の一員ではない」「ここに自分の居場所はない」「自分の声がここでは聴かれていない」ということは起こりえます。この感覚それじたいは、おそらくわたしたちのだれもが個別の場面において、程度の差こそあれ味わうことがあるでしょう。

10章におけるローティの比喩でいえば、場違いな「クラブ」に混ざってしまったとき、それが出入り自由なものであれば、肩をすくめて離脱して、ホームといえるような自分のクラブや自宅に帰ればよいのです。そこでは、自分が立ち去るほかなかった会話のことも題材に、さらに別の会話をつむぐことができるでしょう。(そうした最低限の「自分のクラブ」や「自宅」がだれもにそなわっているようにすることもまた、公共的な課題です。)

しかし、公共的空間としての「バザール」において、どこにも居場所がなく、そこから排除されているひとたちがいるのであれば、それはバザールの安定的な運営にかかわる重大問題です。ローティの比喩にのっとって、あえて露悪的な物言いをすれば、それは遠からず「治安」についての重大なリスクを招来するでしょう。

だれもにとって自分の利害にかかわってくる「正義」をめぐる会話――つまり「政治」の各プロ

セス――において、そこからあらかじめ除外されてしまっているひと、それに参加できないひとがいるということは、その理念の根幹にかかわる最重要事項なのです。

「正義をめぐる会話」への、届かぬ叫び

本書がおもに参照してきたロールズのことばづかいに対して、まさにこうした批判をおこなっているのがスタンリー・カヴェル（一九二六-二〇一八）です。カヴェルは、ロールズとほぼ同世代のアメリカ人哲学者で、ハーバード大学の同僚でもあります。彼は映画や文学についての批評家としても知られており、フィクション論とも関連させながら、道徳性や倫理について論じています。カヴェルは、ロールズの『正義論』がじつは明示されていない、ひとつのアイデアによってつらぬかれていると言います。それが先述した「正義をめぐる会話」だというのです。

さまざまに異なる社会的地位にある市民たちが、自分たちのそうした差異をどうするかという正義〈バランスとしての公正さ〉について、なにを「おたがいに言いあうことができる」のかというアイデアが、ロールズの道徳理論における説得性と独創性の根本にある。わたしは『正義論』全体をつらぬくこのアイデアを、正義をめぐる会話と呼ぶ。※1

ロールズの著作を読むとすぐわかることですが、きわめて理論的に構成される彼の著作では、市民どうしがどんなふうに公共的な事柄について話すことがありうるのか、そのシーンが具体的に描写されることはありません。しかし、ロールズはたしかにこうした会話が「可能になる」ための条件を理論的に考えようとしています。ですので、ロールズ正義論において「正義をめぐる会話」という営みこそが、じつのところ中心的なアイデアなのだというカヴェルの見解も的を射ています。

こうして「会話」に着目するカヴェルのロールズ論は、じつにユニークな構成をとっています。というのも、その紙幅のほとんどがイプセンの戯曲『人形の家』論に割かれているのです。『人形の家』でおもに展開されているのは、ある家庭における「夫婦」の会話劇です。古典的名作として知られる戯曲ですので、結末にもふれてしまいますが、この「会話」は主人公である「妻」ノラが最終的に家から出ていくというかたちで打ち切られます。ノラが会話を打ち切らざるをえないのは、「夫」が彼女をじつのところ「一人前の人間」として認めておらず、彼女のことを「人形」のように愛でていただけだったことが判明するためです。

ふたりはごく私的なことについては話せても、夫はノラを対等に社会や経済、なにより自分たちの関係性や家族のあり方という公共的な事柄について話し合える相手とみなしていません。そして、それゆえに彼女は「会話」におけることばをもたないまま、すべてを置いて家を出るという行動でしか、自身の怒りと屈辱を表現することができないのです。

カヴェルは『人形の家』を念頭に、ロールズが暗黙のうちに（理念としては）だれもが対等な権利を有して参加しうると考えている「正義をめぐる会話」が失敗する瞬間というものを、つぎのように指摘します。

> 会話が失敗するその瞬間は、ときに会話の拒絶としてたち現れる。あるいはまた、会話の申し出があったことじたいの否定としてたち現れる。〔…〕正義への叫び（cry：訴え）があるのだとしたらどうだろうか。その叫びは、不平等ではあるが公正な闘争において敗れたというのではなく、〈闘争の〉はじめからのけものにされていた（left out）という感覚をこそ表明しているのだ。※2

すなわち、最たる「会話の失敗」とは、会話の結果として生じることですらなく、そもそも会話の参加者としてあつかわれていない、そこにいる権利をもたないものとされることなのです。

※1　スタンリー・カヴェル（中山雄一訳）『道徳的完成主義――エマソン・クリプキ・ロールズ』、春秋社、二〇一九年、二六頁。邦訳を参考にしつつ、訳文は原著から訳出しなおしています。また強調の傍点は引用にさいして加えたものです。

※2　同四八頁。

黙らせ、不平等を正当化する「力」

ロールズの『正義論』には、たしかにこうした「叫び」に対してあまりに冷淡なのではないかと読める箇所があります。たとえばロールズは「憤激（resentment）を表明するひとびとは、なぜある種の制度が不正なのか、あるいはどのように自分たちは他者によって傷つけられたのかを説明する用意ができていなければならない[※3]」と述べます。カヴェルはこの一文をくり返し問題にします。

彼〔ロールズ〕は、まさに〔…〕「特定の不正義の対象となっているのではなく、不正義そのものの対象になっている」ことの害をこうむっていると叫んでいる表現について、その〔会話における声としての〕適格性（competence）を否定しているように思われる。あるいはまた〔…〕社会を構成する大多数の個人が歴史のなかで声を奪われてきたということを証明しようとする表現についても、その適格性を否定しているように思われるのだ。[※4]

ロールズの「異議申し立ては、その理由が説明される準備がなくてはならない」とする発言は、たしかに「正義をめぐる会話」における根本的な排除の典型にみえます。もし理路整然と冷静に話せなければ会話におけるひとつの「声」としての適格性を認められないのだとしたら、そうしたことばをもたない、あるいはもつ余裕がないひとは会話に参加する権利を実質的に有していないことになるでしょう。カヴェルはつぎのように評します。

これ〔ロールズの発言〕もまた正義をめぐる会話の一例だ。だれに説明する？　だれと会話する？　憤激に対して十分には耳が傾けられていないということそのものが、憤激の一部をなしているかもしれない。わたしはつぎのように思う。もっとも不利な立場にあるひとびとに対して正当化を要求する力とは、同時にそれより恵まれた立場にあるひとびと、つまりすべてのひとであり、わたしたち自身の〔そこから利益を享受しているという〕不平等をたやすく正当化してしまう力でもあるのだ。※5

カヴェルの批判が指摘しているのは、ことばにならない叫び、憤激、不名誉の訴えに対して、それを適切に表明するためには「正しいことば」を駆使した会話のテーブルにつくよう要請するというロールズの議論構成がもちうる暴力性です。カヴェル自身は、この事例を一八七九年の作品であ

※3　ロールズ『正義論』、六九九頁。　※4　カヴェル『道徳的完成主義』、四九頁。　※5　カヴェル『道徳的完成主義』、二四三頁。

る『人形の家』を通じて描きだしますが、わたしたちは一五〇年近くもたった現在においても、ノラが浴びたような暗黙的な排除のことばがいまだに流通していることを知っています。

それは、たとえば男性がパートナーである女性に対して「こどもみたいなことを言うな」とか「社会のことを理解していない」などと諭すような場面です。言語哲学が明らかにしてきたように※6、こうした言語行為はまさに相手の発話内容を吟味する以前に、その検討の遡上に載せる権利そのものを無効化し、聞こえないことにするという点で、「沈黙化（silencing）」という効果を発揮します。

ロールズの正しいことばの理論的枠組みは、こうした批判に対して、どのように応答しうるのでしょうか。それがこの最終章でとりあげる重要課題です。

「憤激」と「ねたみ」

カヴェルの批判に対して、ロールズはどのように応答できるでしょうか。まずは批判の矛先が向けられていた「憤激を表明するものは〔…〕説明する準備ができていなければならない」という文言が登場する文脈を確認したいと思います。それが登場するのは、『正義論』の「ねたみ（envy）の問題」と題された節です。

6章では「関心」のもつ負の側面について論じましたが、「ねたみ（嫉妬・羨望）」という心理もまたその典型でしょう。たびたび述べてきたように、わたしたちの「利害＝関心」は相互に対立しうるものです。また対立までいかずとも、容易に比較することができるし、つい比較してしまうものです。いますぐに調整を必要とするほどの対立が生じていなくても、対立の芽はそこらじゅうに見出すことができてしまいます。それは今日のソーシャルメディアが普及した社会ではなおさらです。だからこそ一般的な文脈では称揚されがちな「関心」のネガティブな側面にも気をつける必要がある、というのが6章の検討を経ての提言でした。わたしたちはつい想像力をはたらかせて、あらゆる事象を「自分ゴト」にして利害関心を発露させてしまいがちなので、それを自覚して適度にブレーキをかける必要があります。

そこでも紹介しましたが、ロールズは「公正としての正義」が合意されうるための理想的な条件として、「相互に利害関心をもたない（mutual disinterested）」ことを挙げています。もしこの条件が実現しているならば、そこでは「ねたみ」は生じないことになりますが、現にこうした心理はありふれています。それが現にある以上、なんらかのかたちでそれも理論的な考慮にふくめなくてはいけません。

※6　こうした言語の作用の「わるい」側面について平易に紹介したものとして、和泉悠『悪い言語哲学入門』（ちくま新書、二〇二二年）を推薦します。

ロールズが先の一文を登場させるのは、「こうした〔憤激のような〕特殊な心理を、正義論のなかに組み入れるにはどうしたらよいのかを描きだすものとして、ねたみの問題をとりあげたい※7」という動機からなのです。この一見すると、カヴェルの批判とはむしろ真逆のベクトルをもった――つまり「正義をめぐる会話」がなされるプロセスにことばにならない叫びをもふくめ、そうした声を会話から排除しないようにできるのかを模索するという――動機から、なぜああした表現が出てくるのでしょうか。

ここで重要なのは、またしてもことばを区別することです。ロールズは、「憤激（resentment）」とたんなる「ねたみ（envy）」を区別します。前者は、ニーチェ哲学に由来するカタカナ語としても流通している仏語の対応表現「ルサンチマン」のニュアンスも念頭に置くとわかりやすいかもしれません。これは社会的な力の勾配、強者と弱者という構図を背景とした、不当だとか不公平だ、あるいは不平等だと思われる事態においていだかれる道徳的な感情です。

それと比較して、後者の「ねたみ（嫉妬・羨望）」はたんに自身と他者の現状を比較したり、一方的に思いをはせることで生じる心理的状態です。そして、この心理そのものは道徳的な原理（「正当」「公平」「平等」など正しいことばで表現される理念）を参照したものではありません。

こうした整理をふまえると、ロールズが言いたいのはつぎのようなことです。すなわち「憤激」とは――たんに「ねたみ」のような心理状態とは違って――、それじたいはことばにならぬ「叫び」

として訴えられるものであっても、潜在的には「正しいことば」によってその理路を説明しうる、適格な異議申し立てとしてあつかわれなければならないのだ、と。こうしたロールズのモチベーションを確認することで、カヴェルの批判のひとつの次元、つまりロールズの記述が「ことばにならぬ憤激」に対してあまりに冷淡であるように映ることについて、その真意をときほぐすことはできました。

しかし、カヴェルの批判じたいは変わらず有効です。というのも、ロールズはやはりこうした「憤激」について、それを少なからず「正しいことば」に訴えながら説明する準備がなくてはいけないとも明言しています。だとすれば、会話における「声」として認められない叫びを発することしかできないひとは、いつまでも公共的な「正義をめぐる会話」に参加することさえできないことになりはしないでしょうか。

だれが「力」を行使しているのか

こうした尽きぬ疑念に対して、わたしたちがまず確認すべきなのは、自分たちはおおむねどちら

※7　ロールズ『正義論』、六九九頁。

側なのかという点ではないかと思います。つまり、ことばにならぬ「憤激」を表明するほかない側なのか、それともその「叫び」を聴こえない声としてあつかったり、なんとか聴きとろうとしたりする選択肢をもった、カヴェルが指摘する「力」を行使する側なのでしょうか。

この手の大きな問いを立てるときについ陥りがちなのは、ここでの「立場」を抽象的なレベルの二分法としてとらえ、固定的で本質的なものであるかのように考えてしまうことです。具体的なレベルの個々の会話において、個々人がどちらの側でありうるのかは、そのときどきに異なることがありえます。ある場面において会話の正規メンバーであり、無自覚のうちに「力」を行使しているひとであっても、不意に自分にとって重要なアイデンティティの問題が暗黙のうちに、あるいはあからさまに踏みにじられたり、そのような存在としてはその場にいないことにされていたりする場面に出くわすことがあるかもしれません。わたしたちはどちらの立場に置かれることもありえるのです。

しかし、実践的なレベルにおいて重要になるのは、具体的に生じる頻度、そしてなにより課題の優先度ではないでしょうか。具体的に日本語でなされる会話のシーンにおいて、ここまでつきあってくれているみなさんをふくむ「わたしたち」のほとんどは、基本的に安心してしゃべっていることが多いでしょうから、その意味においてさきほどの問いの後者、つまり選択肢をもち、「力」を行使する側に立っているはずです。

したがって、個別の会話においてまず念頭に置くべき優先的な課題は、そこでだれかを存在しないものとして顧慮の外に置いていないか、だれかの声を無視していないのかをたえず自問することです。また、いっしょに会話する自分以外の「われわれ」のことばづかいやふるまいにも同様の観点から気をつけ、場合によっては介入することでしょう。

たとえ、ときに自分自身が会話における「声」をもてず、顧慮の外に置かれていると感じられ、その場を立ち去ることをふくめて憤激を表明するほかない場面に出くわすとしても、その事実や体験それじたいは、この課題にとりくむ優先度をなんら減じるものではありません。それは、わたしたちのほとんどがおおむねそちら側に立っている「われわれ」としての責任であり、わたしたちが共生する社会をどうにか営んでいくために必要な課題にほかならないからです。

4章で検討したトランプ現象を典型として、かつてマイノリティが「ことばにならぬ憤激」を表明するためにあみだした「当事者性のことば」が、今日ではマジョリティとされてきた側に乗っとられるという事象は世界的に広がっています。こうした動向は、本章で導入したことばでいえば「正義をめぐる会話」の営みを壊そうとする力――ここまで述べてきた「力」とはベクトルの異なる、むしろ「憤激」それじたいがもちうるような力――の強大さを示すものです。

しかし、だからといって「憤激」を認めず「当事者性のことば」をいっさい使わないようにしてしまえとはならない――し、そんなことは不可能である――のは当然のことでしょう。というのも、こうしたベクトルの「力」こそが、まさに本章でカヴェルの批判を通じて検討したロールズの枠組みがかかえうる死角、正義をめぐる会話における「われわれ」という単位が行使してしまう「力」へのカウンターとして、必要不可欠なものだからです。

他方でまた、カヴェルの批判を真摯に検討し、現在の世界にあふれる「憤激」に向きあおうとすることの帰結が、「正しいことば」とその理念をかかげて社会をどうにか営もうとする構想そのものが失敗したのだと嘆いたり、そんな理念は役に立たないのだからもはや放棄されねばならないなどと言い放つことであってはならないでしょう。こうした極端な態度は、あまりに安易で、文字どおり無責任かつ不誠実きわまりないものです。

会話における「われわれ」という単位においてはたらく「力」を警戒することは、そのはたらきを自覚し、みずからもまたこの力を行使してしまう責任をもつひとりとして、会話の正規メンバーである「われわれ」単位において抑止することでした。そして、そのためにも「正しいことば」によって表明される理念は欠かすことができないのです。

わたしたちは、こうしたベクトルにおいて対立する複数のことばづかいのどちらも手放してはいけません。どちらのくぼみにも倒れこんでしまわぬように、せいいっぱいバランスをとって、蛇行しながらでも前に進んでいくために「正しいことば」を乗りこなさなくてはいけないのです。そして、この「みなでとりくむ命がけの挑戦《コーポラティブ・ベンチャー》」としての社会を構成する一員として、こうした「乗りこなし」のテクニックをなんとか身につけて公道に出られるような、ちょうど一人前の責任をもてるメンバーを育てていくことは、わたしたち全員にとっての利害にかかわる重大事です。

このつぎなるメンバー——世代的なことだけでなく、現時点の「われわれ」にはいないとされていたアイデンティティを保持する存在をもふくめた、将来ありうる構成員——に対してわたしたちが負っている義務として、わたしたちは「憤激」をもまた「正しいことば」によって表明できることが望ましいのだと伝え、またみずからがその使いこなしの手本を提示しつづけなければならないのです。

このような理路を経て、ロールズの一見して冷淡なあのことばは、社会においてすでに一人前の責任をもっている「われわれ」の側にこそ投げかけられたものであると理解すべきだと言うことができます。そして、まさにそのことばが体現している「力」への自省と自制をうながしてくれるものでもある、と言うことができるでしょう。

カヴェルが指摘する「聴かれえない声」としてあつかわれることの害悪、その残酷さを知りうるわたしたちは、だからこそ「正義をめぐる会話」をけっしてあきらめず、それをつぎなるメンバーを巻き込みながら続けていかなくてはならないのです。

むすびにかえて

最後に、ここまで本書を通じて、わたしとの「会話」につきあってくださった方にむけて、ここまでの会話の経緯をふまえたうえでなければできない自己紹介を、遅まきながらしてみたいと思います。ちょうどここまで問うた「自分はどこに立っているのか」について、書き手であるわたし自身のことを少しだけ話させてほしいのです。

ここまで、あえて明示的に語ったことはありませんし、逆に隠そうとしたこともありません――どちらの理由もここまでの記述を通じて推測できるようにしてきたつもりです――が、わたしは日本語で書かれた本書をお読みのみなさんの多くとは異なる民族的アイデンティティを有しています。それもたんに自分の民族性エスニシティそのものにこだわっているというより、日本語における「外国人」というカテゴリー、さらにそのなかでも旧植民地出身者の子孫として旧宗主国に生まれたという出自をもつことが、どうしようもなく重要なのだとたえず感じざるをえない環境で育ってきました。物心ついて以来、当時はとても言語化できなかった「憤激」をいだいたことは一度や二度でないどころか、とても数えきれません。

ひとにはそれぞれに自身を規定するアイデンティティがありますが、それは個々人の体験ごとに異なる文脈に置かれます。また、ひとりのひとに帰属されるアイデンティティは複数組み合わさっていて、その組み合わさり方じたいにも固有の意味あいがありえます。ですので、ある一要素をとりあげて、それだけで「同じ」ということにはならないものです。

同じ「外国人」でも、外見で判断されるひとや名前でさえわからないひとなど、さまざまな体験がありえ、それぞれに異なる文脈で自身のアイデンティティを形成するわけですから、ひとつの属性として束ねることにも無理があります。そのうえで、わたしの場合には、家族などごく狭いコミュニティ以外のすべてを占める「日本人」たちの会話の場において、自分が一人前の参加者ではありえず、そこでの「われわれ」にはふくまれえないのだということそれじたいが決定的に重要でした。

しかし同時に、わたしにとって第一の、そしてもっとも身近なことばは、みなさんの多くと同じ、この日本語です。わたし自身も日本語によって、そしてかならずしも民族的「日本人」ばかりでない日本語の話者たちとともに、自分自身をかたちづくってきました。忘れられがちなことかもしれませんがごく当然のこととして、日本語の使い手は「日本人」だけではありません。いまのわたしは、かつて自分がいだいたことばにならない「憤激」を「正しいことば」と関連づけて理解し、どうにか説明できるようになったつもりですが、それはひとえに日本語において先人たちが重ねてきた「会話」の一端に加わって、ことばの使い方を学んできたおかげです。（もちろん、本書がずっと参照してきたように、英語をはじめとした世界のことばから翻訳を介して地続きにある日本語でなされた会話、ということですが。）

だからこそ、わたし自身はまずもって日本語でなされる会話において、自分がはたせる責任をできるかぎりにおいてはたし、この会話がとだえることなく続くために貢献したいと、自分の利害関心としても願っています。

そして、ほとんどの場面においては、自分を表現するために現時点では存在しない、あるいはまだじゅうぶんには流通していない新しいことばを求めたり、周囲から特別な「説明」を求められたりすることなく生きることができる「われわれ」の一員として、否応なく行使してしまう力と恩恵を直視し、それにともなう応分の責任をまっとうしなければならないと思っています。この本もまた、こうした動機をひとつの原動力として執筆されたものです。

さて、ここまで「正しいことば」をめぐる長い会話を続けてきましたが、最後に残されている課題を確認して本書を閉じたいと思います。それは、わたし自身がこうした語り口を選んで、みなさんと共有されうることばづかい上の責任について考えてきたこと、つまりこの本じたいがかかえている課題でもあります。すなわち、わたしたち自身が自分たちの責任として、「正義」や「公正」といったことばをあつかえるようになったとして、現時点でそのようなことばをもたず、ひとえに「憤激」として表明された叫びについて、わたしは――そしてあなたは――それを聴きとることができるだろうかということです。

ここでの「聴きとる」というのは、それを正義にかかわる「声」として聴くことであり、しかし同時にそのように解釈されたときには聴こえなくなっていることばにならぬ叫び、憤激、屈辱感、不名誉の訴えとして表明される痛みの感覚それじたいをなかったことにしないことでもあります。それは個別の場面とそれ以降における態度や行動をもって示されうることであり、自分自身やすでに可視化されている「われわれ」のために「正しいことば」を使いこなすことよりも、もっとずっと難しいことでしょう。

この難題をわたしたちの課題として、これからの「正義をめぐる会話」の主題のひとつとして、いっしょに考えたいと願っています。本書を通じて、もしその地点に立ってもらえたならば、それはじつのところ、わたしがこの長い会話を通じて言外に訴えたかった、もっとも重要な「叫び」もまたみなさんに届いたことになります。その可能性に賭けて、このまわりくどいあいさつを、最後の最後にさせていただきました。つぎにお話しする機会があれば、ぜひその応答を聴かせてほしいと願っています。

それでは、ここまでおつきあいいただき、ありがとうございました。

あとがきにかえて

本書は、二〇二〇年一二月から二〇二二年五月までWEBマガジン「Edit-us」（太郎次郎社エディタス）に連載された原稿をもとに、全編にわたって大幅な加筆修正をほどこしたものです。また、11章および二本のコラムについては、書籍化にあたって新たに書き下ろしたものです。

本書では、ジョン・ロールズとリチャード・ローティというふたりの哲学者を中心に、少なくない人物の言説をとりあげ、その議論やことばづかいを紹介・検討してきました。それぞれの哲学者や政治思想家たちのよりまとまった議論や立場を知りたい方は、ぜひ註に記載している引用・参考文献をご覧ください。これらの文献については、巻末にも一覧にしています。

おもに「あとがき」から読みはじめる方や、まずは索引をチェックして拾い読みをされる方（わたしもわりとそうです）にむけて、本書の各章でどんな哲学者・政治思想家に言及したのか、まとめておきます。

第Ⅰ部では、本書全体を通じて登場するロールズについて論じました。とくに1章と2章では、ロールズの『正義論』をたびたび参照しました。ただし、本書はロールズの議論そのものを紹介することをめざしているわけではありません。そうではなく、そこでの「正義」や「公正」といった正しいことばをうまくあつかう独自のテクニックに焦点を当てています。こうした観点は、序章で予告しているように、ローティに代表される「プラグマティズム」の流れをくんだ言語哲学にもとづいたものでした。

ローティについては、とくに序章と4章（トランプ現象の「予言」）、第II部の5章（「会話」論）、第III部の9章（「残酷さの回避」論）、10章（「公／私」の区別）と複数章にまたがって論じました。ロールズと比較すると登場回数は少ないですが、本書の屋台骨をなしているのはまぎれもなくローティの政治哲学です。

第II部と第III部では、ロールズにいたる以前の哲学者・思想家、あるいはロールズ以降の「正義」論を批判的に継承する哲学者たちの議論をとりあげました。前者の代表としては、7章（「自由」論）と10章でアイザイア・バーリンが登場します。後者では、8章・9章（「恐怖に対峙するリベラリズム」論）で登場するジュディス・シュクラー、11章（「構造的不正義」論）で登場するアイリス・マリオン・ヤングが挙げられます。最後の12章では、わたしがロールズへの批判としてもっとも重要なものだと考えているスタンリー・カヴェルの議論（イプセン『人形の家』論）を参照しつつ、本書全体を通じて残る課題を読者と共有しようと試みました。

なお、連載から数えると数年にわたった本書の執筆と重なる時期に、いくつかの関連した論考を論文や書籍としてまとめています。代表的なものを紹介しますので、トピックごとにより深く知りたいと思われた方は、ぜひ手をのばしていただければと思います。

本書全体の影の主人公であるリチャード・ローティと「会話」についてより知りたい方には、つぎの書籍を推奨します。本書がじっさいのことばづかいを中心とした〈実践〉編であるとすれば、その〈理論〉編に相当する一冊になっています。

朱喜哲『人類の会話のための哲学――ローティと21世紀のプラグマティズム』、よはく舎、二〇二四年

3章でとくに論じた日本の「道徳」教育については、教育哲学・教育学分野の専門家たちといっしょに一冊の本としてまとめることになりました。わたしは同書の第一章において、とくに「道徳的価値」をこどもに教授するさい、その「正しさ」ついてどのように伝えることができるのか、本書の主要人物でもあるローティやロールズを参照しつつ論じています。

朱喜哲「道徳的価値の探究――基礎づけなき時代の道徳教育はいかなる足場をもちうるか」

（岸本智典編著『道徳教育の地図を描く——理論・制度・歴史から方法・実践まで』、教育評論社、二〇二二年、第一章）

6章の「関心」論や、ほか随所で言及した「会話を止める」という事態については、「なにもしないことに耐える」「あえて答えを急がない」力（ないし思考の癖）として近年注目される「ネガティヴ・ケイパビリティ」をキーワードとした鼎談からなる書籍を刊行しました。そのなかでは、陰謀論やロシアによるウクライナ侵略戦争、またソーシャルメディアをおもな舞台とした「炎上」事件など、多くの時事問題についても話題にしています。本書では直接的にはあつかうことができなかった時事的な課題意識や診断についても、うかがい知ることができるかと思います。

同書はまた、共著者である谷川嘉浩さんと杉谷和哉さんと三人で営んだ「会話」の実践記録としても、本書の読者にはおもしろく読んでもらえるのではないでしょうか。とくに6章での「想像力の暴走」という論点は、おふたりから示唆されたものであり、三人での会話がなければ深められませんでした。ここに記して感謝したいと思います。

谷川嘉浩・朱喜哲・杉谷和哉『ネガティヴ・ケイパビリティで生きる——答えを急がず立ち止まる力』、さくら舎、二〇二三年最後に本書で引用した書籍・テキストについて、あらためて参考文献としてまとめておきます。日本語訳があるものについては、基本的にそちらを優先して挙げていますので、読んでいて気になったことばがあれば、ぜひオリジナルに当たってみてください。

［参考文献］

ジョン・ロールズ（川本隆史・福間聡・神島裕子訳）『正義論 改訂版』紀伊国屋書店、二〇一〇年

ジョン・ロールズ（エリン・ケリー編、田中成明・亀本洋・平井亮輔訳）『公正としての正義 再説』、岩波現代文庫、二〇二〇年

ジョン・ロールズ（神島裕子・福間聡訳）『政治的リベラリズム 増補版』、筑摩書房、二〇二二年

リチャード・ローティ（小澤照彦訳）『アメリカ 未完のプロジェクト――二〇世紀アメリカにおける左翼思想』、晃洋書房、二〇〇〇年

リチャード・ローティ（室井尚・吉岡洋・加藤哲弘・浜日出夫・庁茂訳）『プラグマティズムの帰結』、ちくま学芸文庫、二〇一四年

リチャード・ローティ（斎藤純　・山岡竜一・大川正彦訳）『偶然性・アイロニー・連帯――リベラル・ユートピアの可能性』、岩波書店、二〇〇〇年

Rorty, R. (1991) *Objectivity, Relativity, and Truth: Philosophical Papers volume1*, Cambridge University Press.

アーリー・ラッセル・ホックシールド（布施由紀子訳）『壁の向こうの住人たち――アメリカの右派を覆う怒りと嘆き』、岩波書店、二〇一八年

パトリシア・ヒル・コリンズ、スルマ・ビルゲ（小原理乃訳・下地ローレンス吉孝監訳）『インターセクショナリティ』、人文書院、二〇二一年

マイケル・オークショット（田島正樹ほか訳）『政治における合理主義［増補版］』、勁草書房、二〇一三年

C・ライト・ミルズ（伊奈正人・中村好孝訳）『社会学的想像力』、ちくま学芸文庫、二〇一七年

アイザィア・バーリン（小川晃一・小池銈・福田歓一・生松敬三訳）『自由論 新装版』、みすず書房、二〇一八年

アイザィア・バーリン（福田歓一・河合秀和・田中治男・松本礼二訳）『バーリン選集四 理想の追求』、岩波書店、一九九二年

森本あんり『不寛容論――アメリカが生んだ「共存」の哲学』、新潮選書、二〇二〇年

ジュディス・シュクラー（大川正彦訳）「恐怖のリベラリズム」、『現代思想』二〇〇一年六月号、青土社

Shklar, j. (1984) *Ordinary Vices*, The Belknap Press of Harvard University Press.

ミシェル・ド・モンテーニュ（関根秀雄訳）『随想録』、青空文庫

横田弘『［増補新装版］障害者殺しの思想』、現代書館、二〇一五年

大瀧雅之・宇野重規・加藤晋編『社会科学における善と正義――ロールズ『正義論』を超えて』、東京大学出版会、二〇一五年

Shumpeter, J. (1942) *Capitalism, Socialism, and Democracy*, Harper & Brothers.

飯野由里子・星加良司・西倉実季『「社会」を扱う新たなモード――「障害の社会モデル」の使い方』、生活書院、二〇二二年

アイリス・マリオン・ヤング（岡野八代・池田直子訳）『正義への責任』、岩波現代文庫、二〇二二年

スタンリー・カヴェル（中山雄一訳）『道徳的完成主義――エマソン・クリプキ・ロールズ』、春秋社、二〇一九年

和泉悠『悪い言語哲学入門』（ちくま新書、二〇二二年）

朱 喜哲（ちゅ ひちょる）

１９８５年大阪生まれ。大阪大学大学院文学研究科博士後期課程修了。博士（文学）。大阪大学社会技術共創研究センター招へい准教授ほか。専門はプラグマティズム言語哲学とその思想史。前者ではヘイトスピーチやデータを用いた推論を研究対象としてあつかっている。

著書に『人類の会話のための哲学』（よはく舎）、『100分de名著 ローティ「偶然性・アイロニー・連帯」』（ＮＨＫ出版）、共著に『ネガティヴ・ケイパビリティで生きる』（さくら舎）、『世界最先端の研究が教える すごい哲学』（総合法令出版）、『在野研究ビギナーズ』（明石書店）、『信頼を考える』（勁草書房）など。共訳に『プラグマティズムはどこから来て、どこへ行くのか』（ブランダム著、勁草書房）などがある。

本書のテキストデータを提供いたします

本書をご購入いただいた方のうち、視覚障害などの理由で書字へのアクセスが困難な方に本書のテキストデータを提供いたします。ご希望の方は、書名・お名前、ご住所、電話番号を明記のうえ、奥付記載の弊社連絡先までご連絡ください。

〈公正《フェアネス》〉を乗りこなす　正義の反対は別の正義か

2023年8月5日　初版印刷
2024年12月5日　5刷発行

著者　朱喜哲
デザイン・DTP　村松丈彦(むDESIGN室)
イラストレーション　田渕正敏
発行所　株式会社太郎次郎社エディタス
東京都文京区本郷3-4-3-8F
〒113-0033
電話　03-3815-0605
FAX　03-3815-0698
http://www.tarojiro.co.jp/
メール　tarojiro@tarojiro.co.jp
編集担当　尹良浩
印刷・製本　シナノ書籍印刷

定価はカバーに表示してあります
ISBN978-4-8118-0860-4 C0010